W9-BKQ-647

RUE DE L'ESPOIR

DU MÊME AUTEUR CHEZ LE MÊME ÉDITEUR

Album de famille
La Fin de l'été
Il était une fois l'amour
Au nom du cœur
Secrets
Une autre vie
La Maison des jours heureux
La Ronde des souvenirs
Traversées
Les Promesses de la passion
La Vagabonde
Loving
La Belle Vie
Un parfait inconnu
Kaléidoscope
Zoya
Star
Cher Daddy
Souvenirs du Vietnam
Coups de cœur
Un si grand amour
Joyaux
Naissances
Disparu
Le Cadeau
Accident
Plein Ciel
L'Anneau de Cassandra
Cinq Jours à Paris
Palomino
La Foudre
Malveillance
Souvenirs d'amour
Honneur et Courage
Le Ranch
Renaissance
Le Fantôme
Un rayon de lumière
Un monde de rêve
Le Klone et moi
Un si long chemin
Une saison de passion
Double Reflet
Douce Amère
Maintenant et pour toujours
Forces irrésistibles
Le Mariage
Mamie Dan
Voyage
Le Baiser

Danielle Steel

RUE DE L'ESPOIR

Traduction de Zoé Delcourt

Roman

Titre original : *The House on Hope Street*

ISBN 2-258-05736-1

Aux amies bien-aimées qui m'ont aidée
dans tant de moments difficiles,

Victoria, Jo, Kathy et Charlotte

A mes merveilleux enfants,
Beatrix, Trevor, Todd, Nick,
Samantha, Victoria, Vanessa, Maxx et Zara,
Qui me donnent toujours espoir
Et emplissent ma vie de joie.

Avec mon amour et ma gratitude,
d.s.

1

Il était dix heures du matin, la veille de Noël, lorsque Jack et Liz Sutherland reçurent Amanda Parker. Le soleil brillait sur le comté de Marin, au nord de San Francisco, mais Amanda paraissait nerveuse et terrifiée. Elle était petite, blonde et délicate, et ses mains tremblaient imperceptiblement tout en triturant un mouchoir en papier. Cela faisait près d'un an que Jack et Liz s'occupaient de son divorce. Ils travaillaient en équipe, dans le cabinet qu'ils avaient monté ensemble dix-huit ans plus tôt, peu après leur mariage.

Ils aimaient travailler ensemble et, au fil du temps, s'étaient parfaitement organisés. Le droit familial était un domaine qui leur plaisait et dans lequel ils excellaient tous deux, bien que leurs styles fussent très différents. En fait, ils étaient complémentaires. Presque sans s'en rendre compte, ils adoptaient des attitudes opposées : Jack se montrait toujours plus agressif que son épouse, il n'hésitait pas à prendre les problèmes de front. Au tribunal, c'était un lion, qui luttait jusqu'au bout pour décrocher de plus grosses pensions alimentaires ou un meilleur verdict, qui attaquait ses adversaires sans relâche jusqu'à ce qu'ils eussent accordé à ses clients ce qu'ils souhaitaient. Liz, elle, se montrait plus attentionnée, plus douce. Elle sentait mieux les subtilités d'un procès, savait quand un client avait besoin de soutien moral, ou comment émouvoir des juges lorsque la garde d'un enfant était en jeu. Parfois, d'ailleurs, comme dans le cas d'Amanda, leurs différences de style les conduisaient à se quereller. En dépit des jeux pervers auquel le mari d'Amanda s'était livré sur elle, de ses cruautés verbales et — en de rares occasions — physiques, de ses menaces, Liz trouvait que Jack se montrait trop dur envers lui.

— Tu es folle ? s'était insurgé Jack, peu avant l'arrivée de leur cliente. Regarde tout ce que lui a fait ce type. Il entretient trois maîtresses, la trompe depuis dix ans, a placé tout son patrimoine de telle sorte qu'elle ne puisse pas y toucher, se fiche complètement de ses enfants et voudrait divorcer sans que ça lui coûte un sou ! Que faudrait-il que nous fassions, selon toi ? Que nous lui proposions une pension à vie en le remerciant pour sa gentillesse ?

D'origine irlandaise, Jack avait un tempérament de battant. En dépit de ses cheveux roux flamboyants et de ses yeux vert émeraude qui la faisaient paraître redoutable, Liz était bien plus douce et modérée que lui. En cet instant, il braquait sur elle son regard noir étincelant. Depuis l'âge de trente ans, il avait les cheveux tout blancs ; les gens qui les connaissaient bien les taquinaient souvent, en les comparant à Katharine Hepburn et Spencer Tracy. Mais en dépit de leurs fréquentes disputes, tout le monde, au tribunal et ailleurs, savait qu'ils s'adoraient. Leur couple était solide, et tous leur enviaient leur famille unie. Ils avaient cinq enfants. Les quatre aînés avaient hérité des cheveux roux de leur mère, tandis que le petit dernier était brun, comme Jack au même âge.

— Je sais que Phillip Parker mérite de payer, avait reconnu Liz avec patience. Mais si nous sommes trop durs envers lui, il se vengera sur elle.

— Et si nous ne le sommes pas assez, il n'apprendra jamais et continuera à faire de sa vie un enfer. Il faut le frapper là où ça fait mal, au niveau du portefeuille. On ne peut pas le laisser faire ce qu'il veut, Liz, tu le sais parfaitement.

— Ce que tu te proposes de faire va complètement paralyser son entreprise.

Elle n'avait pas tort, mais les méthodes musclées de Jack s'étaient révélées efficaces en de maintes occasions et faisaient l'admiration de ses confrères. Il avait la réputation d'être non seulement inflexible, mais de toujours parvenir à obtenir de grosses sommes pour leurs clients, et il était particulièrement déterminé dans le cas d'Amanda. En effet, en dépit des millions de dollars qu'il avait gagnés grâce à son entreprise informatique, Phillip Parker donnait à peine de quoi vivre à sa femme et à leurs trois enfants, et depuis qu'ils s'étaient séparés, elle avait eu du mal à obtenir de lui de quoi nourrir et vêtir sa famille. C'était d'autant plus monstrueux qu'il dépensait de véritables fortunes pour entretenir ses petites amies et venait juste de s'acheter une Porsche flambant neuve. Amanda n'avait même pas eu les moyens d'offrir une planche à roulettes à son fils pour Noël.

— Fais-moi confiance sur ce coup-là, Liz. Ce type est un tyran, et quand nous le dénoncerons devant la cour, il ne manquera pas de hurler. Je sais ce que je fais.

— Jack, il va lui faire du mal, si tu t'en prends à lui de cette manière.

Cette affaire inquiétait Liz depuis qu'Amanda lui avait parlé de la torture psychologique que son mari lui avait fait subir pendant dix ans, et des deux occasions mémorables où il l'avait battue. Les deux fois, elle l'avait quitté, mais il était parvenu à la convaincre de revenir à coups de chantage affectif, de promesses, de menaces et de cadeaux. Liz était sûre d'une chose : Amanda était terrorisée. Et elle avait raison de l'être.

— Au pire, nous demanderons une injonction à la cour pour qu'il ne puisse pas l'approcher, avait conclu Jack d'un ton rassurant, juste avant de faire entrer leur cliente dans le bureau.

A présent, il expliquait à Amanda ce qui allait se passer au tribunal ce matin-là. Il avait l'intention de faire geler tous les avoirs de son mari, ce qui empêcherait son entreprise de fonctionner, et ce au moins jusqu'à ce que Phillip Parker leur ait fourni les informations financières qu'ils lui avaient réclamées. Tous trois étaient d'accord sur une chose : il n'allait guère apprécier d'être ainsi piégé. Et cette perspective paraissait effrayer Amanda.

— Je ne suis pas certaine que ce soit une bonne idée, dit-elle d'une voix douce en jetant à Liz un regard plein d'expectative.

Elle avait toujours eu un peu peur de Jack. Liz lui sourit d'un air encourageant, même si elle n'était pas entièrement convaincue que Jack eût raison. En règle générale, elle lui faisait confiance, mais dans le cas présent son approche autoritaire l'inquiétait un peu. Personne n'aimait autant se battre pour le droit des opprimés que Jack Sutherland. Cette fois, il souhaitait vraiment l'emporter. Il estimait qu'Amanda méritait une victoire éclatante, et Liz était, bien sûr, de son avis — seule sa méthode la préoccupait. Connaissant Phillip Parker, elle estimait qu'il pouvait être dangereux de le pousser dans ses derniers retranchements.

Durant la demi-heure qui suivit, Jack continua à expliquer à Amanda la stratégie qu'il comptait mettre en œuvre. A onze heures du matin, tous entraient dans la salle du tribunal pour l'audience. Phillip Parker et son avocat étaient déjà là ; le mari d'Amanda lui jeta un regard indifférent. Mais une minute plus tard, s'imaginant n'être vu de personne, il échangea avec elle un coup d'œil qui en disait long et qui fit frissonner Liz. Tout, dans l'attitude de Phillip Parker, était destiné à rappeler à Amanda qui était le chef. Il arrivait à se montrer à la fois effrayant et humiliant, sans pour autant cesser de sourire, comme pour troubler davantage la jeune femme. C'était très fort de sa part ; il parvenait ainsi à faire passer clairement un message de terreur tout en ayant l'air à l'aise, sûr de lui et même aimable. Instantanément, Amanda devint plus nerveuse, et tandis qu'ils attendaient l'arrivée du juge, elle se pencha vers Liz.

— Si le juge gèle ses avoirs, il va me tuer, murmura-t-elle avec nervosité à l'oreille de l'avocate.

— Vous voulez dire… littéralement ? s'enquit Liz, à voix basse elle aussi.

— Non… Non, je ne pense pas… Mais il va devenir fou. Il doit passer chercher les enfants demain, et je ne sais pas ce que je lui dirai.

— Vous ne devez pas discuter de tout cela avec lui, répondit Liz avec fermeté. Ne pouvez-vous pas demander à quelqu'un de déposer les enfants chez lui ?

Sans un mot, Amanda secoua la tête avec impuissance. Liz se pencha vers son mari.

— Vas-y doucement, se contenta-t-elle de dire.

Il acquiesça en silence, avant de lever la tête de ses notes pour adresser un bref sourire à son épouse et à leur cliente. C'était un sourire destiné à les rassurer, à leur rappeler qu'il savait ce qu'il faisait, qu'il était un guerrier prêt à se battre et n'avait pas l'intention de perdre.

Et, comme d'habitude, il gagna la bataille.

Après avoir été mis au courant des magouilles montées par Phillip Parker et son équipe juridique, le juge accepta sans difficulté de geler les avoirs de l'accusé et de surveiller les activités financières de sa société pendant trente jours, afin que les Sutherland puissent disposer des informations financières dont ils avaient besoin pour chiffrer leurs demandes. L'avocat de Parker protesta avec véhémence et essaya de faire fléchir le magistrat, mais celui-ci ne voulut rien entendre. Il lui ordonna de se rasseoir et leva la séance.

Quelques secondes plus tard, Phillip Parker quittait le tribunal au pas de charge, non sans avoir lancé à son épouse un coup d'œil meurtrier. Jack le regarda faire avec un sourire radieux, avant de remettre ses dossiers dans son attaché-case. Puis il se tourna vers sa femme avec une expression triomphante.

— Beau boulot, reconnut-elle calmement.

Cependant, elle n'avait aucun mal à deviner qu'Amanda était paniquée. Cette dernière suivit Jack et Liz hors du tribunal sans dire un mot. Liz posa une main sur son bras avec compassion.

— Tout va bien se passer, Amanda. Jack a raison : c'est le seul moyen de le faire fléchir.

Techniquement et stratégiquement, Liz savait que c'était vrai, mais d'un point de vue humain, elle s'inquiétait pour leur cliente et voulait s'efforcer de la rassurer.

— Pouvez-vous demander à quelqu'un de venir demain matin, afin de ne pas être seule face à lui quand il viendra chercher les petits ?

— Ma sœur doit passer avec ses enfants dans la matinée.

— C'est un faux dur, Amanda, intervint Jack d'une voix rassurante. Il n'osera rien vous faire en présence d'une tierce personne.

Jusque-là, ç'avait toujours été vrai, mais cette fois, ils l'avaient vraiment poussé dans ses derniers retranchements. Auparavant, Amanda n'avait jamais autorisé ses avocats à aller aussi loin ; il avait fallu des mois de thérapie avant qu'elle prenne un peu confiance en elle et trouve le courage de s'opposer à Phillip pour l'empêcher de la torturer verbalement, physiquement et financièrement. C'était un important pas en avant pour elle, et elle espérait bientôt en être fière, dès qu'elle aurait fini de trembler de tous ses membres…

Même si, parfois, Jack Sutherland lui faisait peur, elle avait pleinement confiance en lui et avait toujours suivi ses instructions à la lettre. Elle était surprise que le juge se fût montré aussi bienveillant envers elle. Comme Jack ne manqua pas de le souligner, alors qu'ils retournaient tous ensemble à pied au cabinet, cela prouvait quelque chose. Le juge voulait l'aider et la protéger, en gelant les avoirs de Phillip et en l'obligeant à leur fournir les informations qu'ils lui avaient demandées des mois plus tôt.

— Je sais que vous avez raison, admit-elle dans un soupir. Simplement, j'ai du mal à me montrer ferme devant lui. Je sais que c'est nécessaire, mais Phillip est un tel démon quand il est en colère…

— Moi aussi, rétorqua Jack avec un sourire.

Sa femme rit de bon cœur. Ils saluèrent leur cliente et lui souhaitèrent un joyeux Noël.

— Vous verrez, vous en passerez un bien meilleur l'année prochaine, promit Liz, espérant de tout cœur ne pas se tromper.

Ils souhaitaient obtenir pour Amanda une pension alimentaire qui lui permette de vivre avec ses enfants dans la paix et le confort. Le même confort au moins que celui que connaissaient les petites amies de Phillip dans les appartements luxueux qu'il leur avait achetés. Il avait même offert à l'une d'elles un chalet à Aspen, alors que sa femme avait à peine de quoi emmener leurs enfants au cinéma. Jack avait horreur des hommes de cette espèce, surtout quand les enfants devaient payer le prix de l'attitude irresponsable de leur père.

— Vous avez toujours notre numéro de téléphone, n'est-ce pas ? demanda Liz à Amanda.

Cette dernière hocha la tête, visiblement un peu plus détendue. Pour l'instant du moins, le pire était passé, et elle était impressionnée par la décision de la cour.

— N'hésitez pas à appeler si vous avez besoin de nous. S'il vient vous voir pour une raison ou une autre ce soir, ou s'il vous appelle et vous menace, téléphonez immédiatement aux services d'urgence, puis appelez-nous.

Pleine de gratitude, Amanda les quitta quelques instants plus tard. Après son départ, Jack ôta son manteau et desserra sa cravate avant de se laisser tomber dans son fauteuil, un sourire aux lèvres.

— Je suis ravi de donner à cette ordure la leçon qu'il mérite. Il sera fou quand il recevra l'offre que nous allons lui envoyer, et il ne pourra absolument rien faire.

— A part la terroriser, lui rappela Liz, l'air préoccupé.

— Peut-être, mais elle aura au moins de quoi vivre. Les enfants méritent bien ça. A propos, tu ne crois pas que tu es allée un peu loin en lui disant d'appeler les services d'urgence ? Allons, Liz, ce type n'est pas un malade, juste un ignoble personnage.

— C'est exactement mon avis : un ignoble personnage parfaitement capable de lui téléphoner pour la menacer, ou de débarquer chez eux et d'effrayer les enfants, juste assez pour qu'elle panique et nous demande de faire annuler la mise en demeure du tribunal.

— Aucun risque, ma chérie. Je ne la laisserai pas faire. A mon avis, c'est surtout toi qui l'as terrifiée avec tes histoires.

— Je voulais seulement lui rappeler qu'elle n'était pas seule et qu'elle pouvait demander de l'aide. C'est une femme maltraitée, Jack. Pas une battante qui refuse de se laisser marcher sur les pieds. Amanda Parker est une victime, et tu le sais parfaitement.

— Et toi, tu es une bonne Samaritaine et je t'adore, répondit-il en se levant pour la prendre dans ses bras.

Il était près d'une heure de l'après-midi. Le moment était venu pour eux de fermer le bureau pour les fêtes. Avec cinq enfants à la maison, ils avaient fort à faire. En règle générale, Liz avait moins de mal que Jack à oublier les problèmes de travail une fois de retour chez eux. Quand elle était avec les enfants, rien d'autre ne lui importait, et c'était quelque chose que Jack appréciait beaucoup chez elle.

— Je t'aime, Jack, dit-elle en souriant lorsqu'il l'embrassa.

Il était rare qu'il se montrât aussi ouvertement tendre avec elle au bureau, mais après tout, c'était Noël, et maintenant que l'audience d'Amanda Parker était derrière eux, ils avaient terminé tout ce qu'ils avaient à faire avant les vacances.

Liz rangea ses papiers tandis que Jack glissait une demi-douzaine de dossiers dans son attaché-case. Une demi-heure plus tard, ils quittaient le cabinet chacun dans sa voiture : Liz devait rentrer à la maison préparer le réveillon de Noël, et Jack avait quelques courses de dernière minute à effectuer en ville.

Contrairement à sa femme, qui achetait généralement les cadeaux de toute la famille dès le mois de novembre, il terminait toujours ses achats au dernier moment. Liz était extrêmement organisée et attachée aux détails, seule manière pour elle de mener de front carrière et vie de famille. Elle était par ailleurs aidée par Carole, la gouvernante de la maison depuis quatorze ans, sans qui elle aurait été perdue. Carole était une jeune mormone qui avait vingt-trois ans lorsqu'ils l'avaient embauchée, et qui aimait les enfants presque autant que Liz et Jack eux-mêmes, en particulier Jamie, âgé de neuf ans.

En partant, Jack promit de rentrer à la maison entre dix-sept heures et dix-sept heures trente. Il devait monter la nouvelle bicyclette de Jamie ce soir-là, et Liz savait qu'il passerait aussi du temps à emballer ses cadeaux dans le bureau qu'il s'était aménagé chez eux. C'était tous les ans la même chose, mais elle ne s'en plaignait pas. Quand ils s'étaient mariés, Jack et elle avaient réussi à combiner les traditions de Noël de leurs familles respectives pour créer une fête unique en son genre, très chaleureuse et que tous adoraient.

Liz parcourut rapidement la courte distance qui la séparait de Tiburon et sourit en immobilisant sa voiture devant leur maison de la rue de l'Espoir. Ses trois filles et Carole venaient juste de rentrer, et elles sortaient en riant des paquets du coffre de la voiture de la gouvernante. A quatorze ans, Megan était grande et mince ; Annie, âgée de treize ans, était un peu plus petite mais ressemblait beaucoup à sa mère ; quant à Rachel, onze ans, même si elle avait les cheveux roux de Liz, c'était le portrait craché de

Jack. Toutes trois s'entendaient étonnamment bien et en cet instant elles arboraient de larges sourires. Elles se tournèrent vers leur mère en l'entendant approcher.

— Qu'avez-vous fait de beau ? demanda Liz en passant un bras autour des épaules d'Annie et de Rachel.

Elle observa Megan avec attention et plissa les yeux.

— Ne serait-ce pas mon pull noir préféré que tu portes de nouveau, Meg ? Question idiote… Tu exagères, tu es plus carrée que moi, tu vas l'étirer.

— Ce n'est pas ma faute si tu es toute menue, maman, rétorqua Megan avec un sourire coupable.

Les filles n'arrêtaient pas de se « chiper » des vêtements et de piocher dans ceux de leur mère, la plupart du temps sans prendre la peine de demander la permission. C'était là, en vérité, leur seul sujet de discorde, et Liz estimait que ce n'était pas bien méchant. Elle se rendait compte que Jack et elle avaient beaucoup de chance d'avoir des enfants aussi formidables, avec qui ils passaient de très bons moments.

— Où sont les garçons ? demanda-t-elle en les suivant à l'intérieur de la maison.

Annie, remarqua-t-elle au passage, lui avait « emprunté » une paire de chaussures… C'était sans espoir. Elles semblaient condamnées à partager une garde-robe commune, en dépit de tout ce qu'elle ne cessait de leur acheter.

— Peter est sorti avec Jessica, et Jamie est chez un ami, l'informa Carole.

Jessica était la dernière petite amie en date de Peter, l'aîné. Elle vivait non loin de chez eux, à Belvedere, et il passait plus de temps chez elle que dans sa propre maison.

— Je dois passer chercher Jamie dans une demi-heure, expliqua Carole, à moins que vous ne vouliez y aller.

A vingt-trois ans, Carole avait été une jolie blonde, et même si elle avait pris pas mal de poids au fil des ans, c'était encore, à trente-sept ans, une femme séduisante. Liz appréciait tout particulièrement ses manières chaleureuses et son bon contact avec les enfants. Elle faisait partie de la famille, désormais.

— Je pensais faire des cookies, cet après-midi, expliqua Liz en posant son sac et en ôtant son manteau.

Assise à la table de la cuisine, elle jeta un coup d'œil au courrier, mais ils n'avaient rien reçu d'important. Relevant la tête, elle regarda distraitement par la fenêtre. De l'autre côté de la baie se découpaient les immeubles de San Francisco. Ils jouissaient d'une très belle vue, et d'une maison très agréable et accueillante, même si elle était un peu exiguë pour eux tous.

— Quelqu'un a envie de faire de la pâtisserie avec moi ? lança-t-elle à la cantonade.

Mais déjà, les trois filles s'étaient enfuies dans leurs chambres, sans doute pour passer des coups de téléphone. Les quatre aînés se disputaient sans cesse les deux lignes familiales.

Lorsque Carole redescendit une demi-heure plus tard pour aller chercher Jamie, Liz était occupée à étaler la pâte et à découper des biscuits en forme de père Noël, de sapin et d'étoile. Elle était loin d'avoir fini, mais devinait que Jamie se ferait une joie de l'aider en arrivant : il adorait lui donner un coup de main en cuisine.

De fait, lorsque Carole et lui rentrèrent, dix minutes plus tard, il poussa un cri de joie en voyant ce que faisait sa mère et s'empressa de porter un petit morceau de pâte crue à ses lèvres.

— Je peux t'aider ?

C'était un très bel enfant, aux épaisses boucles brunes, aux grands yeux noisette, et au sourire qui faisait toujours fondre le cœur de sa mère. Il lui était particulièrement cher, comme à toute la famille ; il serait toujours le benjamin, le bébé.

— Bien sûr, si tu te laves d'abord les mains. Où étais-tu ?

— Chez Timmie, répondit-il.

Comme il revenait de l'évier les mains mouillées, sa mère lui désigna un torchon afin qu'il les essuie.

— C'était comment ?

— Ce n'est pas Noël, chez lui, expliqua-t-il avec solennité.

— Je sais, dit Liz en souriant, ils sont juifs.

— Eux, ils ont des bougies, et ils reçoivent des cadeaux pendant toute une semaine. Pourquoi on n'est pas juifs, nous ?

— Pas de chance ! Mais tu sais, une nuit de Noël, ce n'est déjà pas mal, fit-elle valoir.

— J'ai demandé un vélo au père Noël, annonça-t-il d'un air plein d'espoir. Je lui ai expliqué que Peter avait promis de m'apprendre à en faire.

— Je sais, mon chaton.

Elle l'avait aidé à écrire la lettre. D'ailleurs, elle avait gardé dans un tiroir toutes les lettres que ses enfants avaient écrites au père Noël au fil des années ; elles étaient merveilleuses, surtout celles de Jamie. Il leva les yeux vers elle avec un sourire désarmant, et leurs regards se croisèrent longuement.

Jamie était un enfant spécial, un cadeau particulier dans sa vie. Il était arrivé avec plus de deux mois d'avance, et avait souffert au moment de la naissance d'un important manque d'oxygène. Il avait un petit retard mental — guère sensible, mais suffisant pour le rendre différent, plus lent que les autres enfants de son âge. Malgré cela, il se débrouillait bien ; il fréquentait une école spécialisée et était responsable, alerte et affectueux. Mais il ne serait jamais comme ses frères et sœurs. C'était un fait qu'ils avaient tous accepté depuis longtemps, même si au départ ç'avait été un choc et une grande souffrance, surtout pour Liz. Elle se sentait tellement responsable ! Elle avait trop travaillé en fin de grossesse, elle avait enchaîné trois procès sans faire de pause et avait été trop stressée. Elle avait eu beaucoup de chance avec les autres enfants et n'avait jamais eu de problème. Pour Jamie, cependant, ç'avait été différent dès le début. Elle avait été épuisée et malade pendant toute la grossesse, et soudain, presque deux mois et demi trop tôt, le travail avait commencé, et les médecins n'avaient rien pu faire pour le retarder. Jamie était né dix minutes après l'arrivée de Liz à l'hôpital — une naissance facile pour elle, mais traumatisante pour l'enfant. Pendant des semaines, il avait été entre la vie et la mort. Quand, enfin, au terme de six semaines en couveuse, ses parents avaient pu le ramener chez eux, il leur était apparu comme un miracle, et c'était encore vrai aujourd'hui. Il était particulièrement aimant, et sage à sa manière. De tous leurs enfants, c'était le plus doux et le plus gentil, et en dépit de ses limites, il avait un sens de l'humour très développé. Plutôt que de se lamenter sur ce qu'il n'était pas et ne serait jamais, ils avaient appris à apprécier ses qualités et ses capacités. Physiquement, il était si beau que les gens le remarquaient toujours, et beaucoup s'étonnaient ensuite de sa façon directe et très simple de s'exprimer. Parfois, il leur fallait un long moment pour comprendre qu'il était différent, et alors, ils le prenaient en pitié, ce qui énervait ses parents, son frère et ses sœurs. Quand quelqu'un faisait preuve de compassion, Liz disait simplement : « Vous n'avez pas à être désolé. C'est un enfant superbe, avec un cœur gros comme ça, et tout le monde l'adore. » De surcroît, il était presque toujours heureux, ce qui était pour elle un grand réconfort.

— Tu as oublié les pépites de chocolat, observa-t-il.

Les biscuits au chocolat étaient ses préférés, et sa mère lui en faisait toujours.

— J'ai pensé que pour Noël, des biscuits nature saupoudrés de sucre rouge et vert seraient plus appropriés, qu'en penses-tu ?

Il réfléchit une seconde avant de hocher la tête avec approbation.

— Ça va être joli. Est-ce que je peux mettre le sucre ?

Elle lui tendit les biscuits en forme de sapin et le sucrier contenant le sucre vert, et il se mit au travail jusqu'à ce qu'il soit satisfait du résultat ; elle lui présenta alors les pères Noël et le sucre rouge. Ils travaillèrent en équipe jusqu'à ce qu'ils aient terminé, puis Liz mit tous les plateaux de biscuits au four. Elle remarqua alors que Jamie paraissait inquiet.

— Qu'y a-t-il ?

De toute évidence, quelque chose le contrariait. Et en règle générale, quand il s'était mis une idée en tête, il avait du mal à penser à autre chose.

— Et s'il ne l'apporte pas ?

— Qui ?

— Le père Noël, répondit-il en jetant à sa mère un regard anxieux.

— Tu parles du vélo ?

Il hocha la tête gravement.

— Pourquoi ne l'apporterait-il pas ? Tu as été un très gentil petit garçon toute l'année, mon chéri. Je suis prête à parier que tu auras ce que tu désires.

Elle ne voulait pas lui gâcher la surprise, mais souhaitait tout de même le rassurer.

— Peut-être qu'il pense que je ne saurai pas m'en servir.

— Il est bien plus malin que ça. Il sait bien que tu apprendras sans problème. Et puis, tu lui as dit que Peter allait t'aider.

— Tu crois qu'il m'a cru ?

— J'en suis sûre. Pourquoi ne vas-tu pas jouer un peu, ou voir ce que fait Carole ? Je t'appellerai quand les gâteaux seront prêts. Les premiers seront pour toi.

Il sourit avec gourmandise et, oubliant le père Noël, monta à l'étage à la recherche de Carole. Il adorait qu'elle lui lise des livres ; il n'avait pas encore appris à lire tout seul.

Liz se dirigea vers un placard et en sortit quelques cadeaux qu'elle y avait cachés ; elle les disposa sous le sapin puis, lorsque les biscuits furent prêts, elle rappela Jamie. Mais ce dernier s'amusait bien avec Carole et ne voulut pas redescendre dans la cuisine. Elle mit donc les petits gâteaux sur des assiettes qu'elle posa sur la table de la cuisine avant de monter à l'étage envelopper l'œuvre complète de Chaucer dans une belle édition reliée cuir qu'elle avait achetée pour Jack. Elle lui avait trouvé un autre cadeau il y avait des semaines de cela, et il était déjà emballé et mis de côté, mais ce n'était que récemment qu'elle était tombée sur ces beaux livres anciens.

Le reste de l'après-midi passa à toute vitesse. Peter rentra à la maison juste avant Jack. Il paraissait heureux et surexcité, et engloutit aussitôt quelques biscuits, avant de demander à sa mère s'il pourrait retourner chez Jessica juste après le dîner.

— Pourquoi ne viendrait-elle pas ici, pour changer ? demanda Liz d'un ton plaintif.

Ils ne voyaient plus l'adolescent : il était toujours soit au sport, soit au lycée, soit chez sa petite amie. Depuis qu'il avait obtenu son permis de conduire, Liz avait l'impression qu'il ne rentrait chez eux que pour dormir.

— Ses parents ne la laisseront pas sortir ce soir. C'est Noël.

— Ici aussi, c'est Noël, lui rappela-t-elle.

Au même instant, Jamie revint dans la cuisine. Il prit un biscuit avant de jeter à son grand frère un regard d'adoration. Peter était son héros.

— Chez Timmie, ce n'est pas Noël, intervint-il. Il est juif.

Peter lui ébouriffa affectueusement les cheveux et tendit la main vers les gâteaux.

— C'est moi qui les ai faits, annonça Jamie en les désignant.

— Délicieux, affirma Peter, la bouche pleine, avant de se tourner de nouveau vers sa mère. Maman, Jessica n'a pas le droit de sortir ce soir. Pourquoi est-ce que je ne peux pas aller là-bas ? On s'ennuie, ici.

— Merci. Tu dois rester, tu as des choses à faire ici, répondit-elle avec fermeté.

— Il faut que tu m'aides à laisser des gâteaux et des carottes devant la cheminée pour le père Noël et ses rennes, expliqua Jamie.

Les garçons faisaient cela ensemble tous les ans, et Peter savait bien que Jamie aurait été déçu d'avoir à s'en charger tout seul.

— Est-ce que je pourrai sortir une fois qu'il sera couché ? demanda-t-il.

Il n'était pas facile de lui résister. C'était un gentil garçon, qui étudiait très bien au lycée, et il méritait une récompense.

— Bon, d'accord, concéda Liz. Mais je veux que tu rentres tôt.

— A onze heures au plus tard, promis.

Ils en étaient là de leur conversation lorsque Jack entra, l'air fatigué mais satisfait. Il venait juste de terminer ses courses de Noël et était convaincu d'avoir trouvé le cadeau parfait pour son épouse.

— Salut tout le monde, joyeux Noël ! lança-t-il.

Il souleva Jamie dans ses bras et le serra contre lui, lui arrachant de petits gloussements de plaisir.

— Qu'as-tu fait aujourd'hui, jeune homme ? Tu es prêt à accueillir le père Noël ?

— Maman et moi lui avons préparé des gâteaux.

— Miam, dit Jack en tendant la main pour en goûter un.

Puis il alla embrasser Liz.

— Qu'y a-t-il pour le dîner ?

— Du jambonneau.

Carole l'avait mis au four dans l'après-midi, et Liz comptait l'accompagner de patates douces et de pois cassés. Le lendemain, pour le repas de Noël, ils mangeraient une dinde préparée avec la farce spéciale de Jack.

Liz servit un verre de vin à son mari et le suivit dans le salon, Jamie sur leurs talons. Peter partit téléphoner à Jessica pour lui annoncer qu'il la rejoindrait après le dîner ; des cris retentirent dans toute la maison lorsqu'il prit le combiné des mains de Megan et raccrocha au nez d'un de ses prétendants pour avoir la ligne.

— Eh, du calme, vous deux ! cria Jack en direction de l'escalier avant de s'asseoir à côté de sa femme sur le canapé pour profiter un moment de la douce ambiance de fête qui régnait dans la pièce.

L'arbre de Noël était éclairé, et Carol avait mis un disque de chansons traditionnelles. Jamie, assis près de sa mère, chantonnait gaiement. Quelques minutes plus tard, il remonta à l'étage à la recherche de Carole ou Peter.

— Il s'inquiète à propos de son vélo, chuchota Liz à Jack.

Ce dernier sourit. Ils savaient tous deux à quel point le petit garçon serait heureux en découvrant la bicyclette, le lendemain. Cela faisait longtemps qu'il rêvait d'en avoir une, et cette année, Jack et Liz estimaient qu'il était prêt.

— Il en a parlé tout l'après-midi, il a peur que le père Noël ne veuille pas lui apporter de vélo.

— Nous le monterons dès qu'il sera endormi, dit Jack à voix basse avant de se pencher pour embrasser Liz. Vous ai-je dit récemment combien vous étiez belle, maître ?

— Pas depuis deux jours au moins, répondit-elle en souriant.

Bien qu'ils fussent mariés depuis de nombreuses années et constamment entourés d'enfants, ils savaient encore se montrer très tendres l'un envers l'autre. Jack avait le don de la surprendre ; il aimait lui faire des surprises, l'enlever pour des soirées impromptues, l'emmener dîner dans de grands restaurants, partir avec elle en week-end. Il lui arrivait même de lui envoyer des fleurs sans raison particulière. Il leur fallait être particulièrement vigilants pour entretenir la flamme alors qu'ils travaillaient ensemble et auraient pu avoir maintes raisons de se disputer ou même tout simplement de se lasser l'un de l'autre. Par chance, ce n'était jamais arrivé, et Liz était reconnaissante à son mari de tous les efforts qu'il faisait.

— J'ai repensé à Amanda Parker cet après-midi, pendant que Jamie et moi faisions les biscuits. J'espère vraiment que son mari ne va pas lui causer d'ennuis après l'audience d'aujourd'hui. Je ne fais aucune confiance à ce type.

— Il faut que tu apprennes à laisser ton travail au bureau, la réprimanda-t-il avant de se resservir un verre de vin.

Il la taquinait, répétant la phrase qu'elle lui avait dite des milliers de fois.

— C'est ton attaché-case que j'ai vu dans l'entrée, bourré à craquer de dossiers ? répondit-elle du tac au tac avec un sourire espiègle.

— Je me contente de l'emporter partout avec moi, mais je n'y pense pas. C'est mieux ainsi, affirma-t-il.

— Oui, tu parles !

Elle le connaissait trop bien pour être dupe.

Ils bavardèrent encore un moment, puis elle retourna dans la cuisine préparer le dîner. Ce soir-là, ils s'attardèrent tous à table pour parler et rire ensemble, se remémorant des anecdotes des années précédentes. Jamie participa à la conversation en leur rappelant l'année où leur grand-mère était venue passer Noël avec eux et avait insisté pour qu'ils aillent tous à la messe de minuit. Elle s'était endormie à l'église, et tous avaient été pris d'un fou rire quand elle s'était mise à ronfler. Liz songea que, de fait, elle se réjouissait que sa mère fût allée passer Noël chez son frère, cette année. Il était pénible de la recevoir pour les vacances : elle donnait des ordres à tout le monde et imposait ses propres idées et manies aux autres. Par ailleurs, elle harcelait toujours Liz à propos de Jamie. Elle avait été horrifiée à la naissance du bébé, allant jusqu'à parler de tragédie, et elle ne se privait pas de faire des remarques à la moindre occasion, dès que le garçonnet était hors de portée de voix. Elle estimait qu'il devrait être envoyé en pension dans une école spécialisée, afin que son frère et ses sœurs n'aient pas à « subir » sa présence. Chaque fois qu'elle entendait cela, Liz était folle de rage. L'opinion de sa mère ne lui importait pas : pour eux tous, Jamie faisait partie intégrante de la famille, et rien au monde ne les aurait convaincus de l'éloigner. D'ailleurs, les autres enfants auraient été consternés s'il en avait été question.

Comme chaque année, Peter aida Jamie à déposer une assiette de biscuits et un verre de lait au pied de la cheminée pour le père Noël, ainsi que quelques carottes et un bol de sel pour ses rennes. Jamie dicta également un petit mot à son frère suppliant le père Noël de ne pas oublier son vélo, et d'apporter à toute la famille de très beaux cadeaux.

— Merci, papa Noël, conclut l'enfant.

Puis il demanda à Peter de lui relire la lettre et il hocha la tête d'un air satisfait.

— Tu crois que je devrais lui dire que ce n'est pas grave si je n'ai pas mon vélo ? demanda-t-il d'un air inquiet. Je ne veux pas qu'il s'en veuille s'il l'a oublié.

— Non, je trouve que c'est bien comme ça. Et puis, tu as été tellement gentil que je suis sûr qu'il va te l'apporter.

Tous savaient que les parents lui avaient acheté la bicyclette de ses rêves.

Enfin, Liz mit Jamie au lit. Megan était au téléphone, comme à l'accoutumée, et Rachel et Annie pouffaient dans leur chambre, jouant à échanger leurs vêtements. Peter partit rejoindre Jessica après avoir aidé son père à monter le vélo de Jamie. Liz, elle, était dans la cuisine et s'affairait à tout ranger et à préparer ce dont elle aurait besoin pour le déjeuner du lendemain. Carole était allée déposer quelque chose chez une amie. C'était une soirée paisible et heureuse, et Liz et Jack se réjouissaient à l'idée des quelques jours de vacances qui les attendaient. Ils travaillaient dur, et appréciaient les moments qu'ils passaient avec leurs enfants.

Ils montaient lentement à l'étage, main dans la main, lorsque Amanda Parker leur téléphona. Megan décrocha et appela sa mère, qui s'empressa d'aller répondre ; dès qu'elle eut pris le combiné, elle comprit qu'Amanda avait pleuré. Elle parvenait à peine à s'exprimer de façon cohérente.

— Je suis désolée de vous appeler le soir de Noël… Phil a téléphoné il y a un petit moment et…

Elle laissa sa phrase en suspens et éclata en sanglots.

— Qu'a-t-il dit ? demanda Liz d'une voix volontairement apaisante.

— Il a dit que si je ne vous demandais pas de dégeler tous ses avoirs, il me tuerait. Il a dit qu'il ne me donnerait jamais un centime de pension alimentaire, et que les enfants et moi pouvions bien mourir de faim.

— Cela n'arrivera pas et vous le savez. Il est obligé de vous donner de quoi vivre. Il essaie seulement de vous intimider.

Et de toute évidence, il avait réussi. Liz avait horreur des affaires comme celle-ci, qui la contraignaient à voir une cliente qu'elle appréciait se faire maltraiter. Certaines des histoires qu'Amanda lui avait racontées lui avaient fait froid dans le dos. Philip avait si bien réussi à la terrifier et à la rabaisser qu'elle avait attendu des années pour le quitter. Maintenant, elle allait devoir s'endurcir pour supporter ses menaces, le temps qu'ils réussissent à lui obtenir une pension alimentaire décente. Liz savait à quel point c'était difficile pour elle ; Amanda était, à bien des égards, une victime née.

— Si le téléphone sonne de nouveau ce soir, ne répondez pas, dit Liz d'une voix calme. Fermez bien vos portes et restez à la maison avec les enfants. Si vous entendez des bruits douteux dehors, appelez la police. D'accord, Amanda ? Il essaie simplement de vous faire peur. N'oubliez pas, c'est un faux dur. Si vous tenez bon, il finira par céder.

— Il a dit qu'il allait me tuer, observa Amanda d'un ton peu convaincu.

— S'il vous menace de nouveau, la semaine prochaine nous demanderons à la cour de lui interdire tout contact avec vous. Comme ça, s'il s'approche de vous, nous le ferons arrêter.

— Merci, dit la jeune femme, un peu soulagée mais encore très nerveuse. Je suis vraiment désolée de vous déranger un jour comme celui-là...

— Vous ne nous dérangez pas du tout. Nous sommes là pour ça. N'hésitez pas à rappeler en cas de besoin.

— Ça va, je me sens mieux, maintenant. Le seul fait de vous parler m'a fait du bien, affirma Amanda avec gratitude.

Le cœur de Liz se serra. Pauvre Amanda ! Quelle manière horrible de passer la nuit de Noël...

— J'ai vraiment de la peine pour elle, dit-elle à Jack en le rejoignant dans leur chambre peu après. Elle n'est pas armée pour affronter un monstre pareil.

— C'est pour ça qu'elle a besoin de nous pour la défendre.

Il avait ôté ses chaussures et arpentait la pièce en chaussettes, riant sous cape en repensant au cadeau qu'il avait choisi pour elle. Cependant, lorsqu'il leva la tête, il vit qu'elle paraissait sincèrement inquiète.

— Tu crois qu'il oserait lui faire du mal ? demanda-t-elle d'une voix angoissée.

— Franchement, non. Je pense qu'il cherche seulement à l'intimider. Que voulait-il, cette fois ? Que nous fassions annuler l'injonction du tribunal ?

Liz hocha la tête. Ils n'étaient surpris ni l'un ni l'autre par la réaction de Parker.

— Il pourra dire ce qu'il voudra, nous ne demanderons pas à la cour de revenir sur sa décision. J'espère qu'il le sait.

— Pauvre Amanda... Tout cela est si dur pour elle.

— Il faut qu'elle s'endurcisse, ce n'est qu'un mauvais moment à passer. Nous allons gagner, et il finira par se faire une raison. Il a largement de quoi lui verser une pension correcte. Au pire, il n'aura qu'à se débarrasser d'une de ses petites amies.

— C'est peut-être ce qu'il a peur de devoir faire, souligna Liz avec un sourire.

Elle posa un regard admiratif sur son mari. Il venait d'ôter sa chemise et, comme toujours, elle le trouvait d'une beauté à couper le souffle. A quarante-

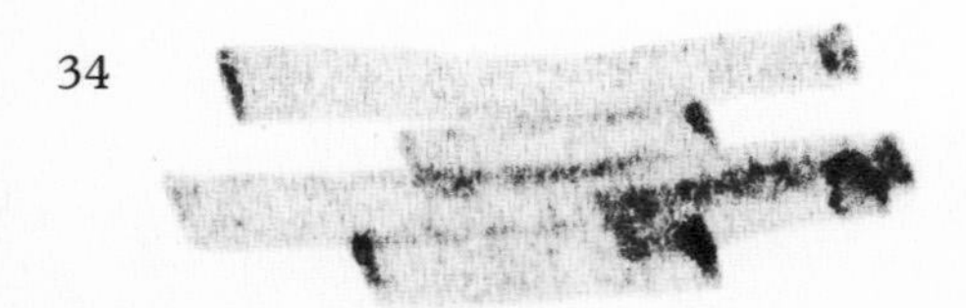

quatre ans, il avait encore un corps d'athlète, et malgré ses cheveux blancs, il paraissait beaucoup plus jeune que son âge.

— Qu'est-ce qui te fait sourire ? demanda-t-il en enlevant son pantalon.

— Je me disais que tu étais vraiment superbe. Je crois que tu es encore plus beau et plus sexy que lorsque nous nous sommes mariés.

— Tu deviens aveugle, mon amour, mais je ne vais pas m'en plaindre. Et je dois avouer que tu n'es pas mal du tout non plus.

Personne n'aurait pu deviner que Liz avait quarante et un ans et cinq enfants. Jack traversa la pièce pour l'embrasser, et tous deux ne tardèrent pas à chasser de leur esprit Amanda Parker et ses problèmes. Ils avaient beau avoir beaucoup de sympathie pour elle, elle faisait partie de leur vie professionnelle et ils ne devaient plus penser à elle pour profiter pleinement de Noël et de leur famille.

Ils se mirent au lit et regardèrent la télévision un moment. Les filles vinrent leur dire bonne nuit avant de se coucher et, à onze heures précises, Liz entendit Peter se garer devant la porte. Il rentrait toujours à l'heure. Après avoir regardé les informations, Jack et elle éteignirent leurs lampes de chevet et se couchèrent, blottis l'un contre l'autre. Elle adorait ces moments d'intimité avec lui. Il lui glissa un mot à l'oreille et, avec un petit rire, elle se leva sur la pointe des pieds pour aller tourner le verrou de la chambre. C'était plus prudent : un des enfants déciderait peut-être de venir les voir. Jamie, en particulier, avait tendance à se réveiller la nuit et demandait souvent à

Liz de lui donner un verre d'eau et de le border. Une fois la porte fermée à clé, la chambre était à eux.

Jack fit glisser la chemise de nuit de Liz au-dessus de sa tête, et quand il l'embrassa elle émit un petit gémissement et se serra plus étroitement contre lui. N'était-ce pas la manière idéale de conclure cette soirée de Noël ?

2

Le lendemain matin, dès six heures trente, Jamie grimpa dans le lit à côté d'eux. Liz avait remis sa chemise de nuit et rouvert la porte avant de s'endormir. Jack dormait encore profondément, seulement vêtu de son pantalon de pyjama. La maison était silencieuse, mais Jamie, lui, avait hâte de descendre découvrir ses cadeaux.

— Pas encore, mon bébé, lui chuchota Liz. Pourquoi ne te rendors-tu pas avec nous un moment ? Il fait encore nuit.

— Quand est-ce que ce sera l'heure de descendre ? demanda-t-il à voix basse.

— Encore au moins deux heures.

Elle espérait le retenir aussi longtemps que possible, au moins jusqu'à huit heures, si elle avait de la chance. Les autres étaient suffisamment grands pour ne plus avoir envie de se lever à l'aube.

En fin de compte, Liz ramena le petit garçon surexcité dans sa chambre et l'embrassa avant de le laisser avec ses Lego.

— Je viendrai te chercher quand le moment sera venu, promit-elle.

Elle le quitta en pleine construction d'une maison et elle alla se recoucher une heure près de Jack. Le lit était chaud et douillet, et elle sourit en se blottissant contre son mari.

Il était un peu plus de huit heures lorsque Jack s'éveilla. Presque au même moment, Jamie revint dans leur chambre et annonça qu'il avait utilisé tous ses Lego. Liz embrassa son mari, qui lui sourit d'un air endormi, se remémorant les plaisirs de la nuit. Puis ils envoyèrent Jamie chercher les autres.

— Tu es réveillée depuis longtemps ? s'enquit Jack en attirant Liz contre lui.

— Jamie est venu à six heures et demie. Il a été très patient, mais je ne pense pas qu'il tienne encore longtemps.

Cinq minutes plus tard, il était de retour dans leur chambre, son frère et ses sœurs à sa suite. Les filles paraissaient à moitié endormies ; quant à Peter, il avait passé un bras autour des épaules de son petit frère. Il savait combien ce dernier allait être heureux en découvrant le vélo que son père et lui avaient monté la veille, et il se réjouissait d'avance.

— Allons, papa, debout, dit-il en souriant et en tirant sur les couvertures de son père.

Jack roula sur le côté et fit mine de poser un oreiller sur sa tête. Voyant cela, les filles ne purent résister à la tentation de le taquiner, et avant qu'il ait pu se défendre, Rachel et Annie avaient sauté sur lui pour l'immobiliser pendant que Megan le chatouillait, à la grande joie de Jamie. Liz se leva et enfila sa robe de chambre tout en les regardant avec attendrissement. Bientôt, ils ne furent plus qu'un enchevêtrement de bras et de jambes, tandis que Jack se vengeait et entreprenait de les chatouiller à tour de rôle, Jamie inclus.

Ils chahutèrent ainsi un long moment. Enfin, Liz leur rappela qu'il était temps de descendre voir ce que le père Noël leur avait apporté. Aussitôt, Jamie sauta à bas du lit et se précipita vers la porte, suivi par les filles qui riaient toujours. Peter et Jack fermaient la marche. Ils avaient à peine atteint le seuil que Jamie était déjà au pied de l'escalier.

Dès qu'il l'aperçut, rouge, étincelante, magnifique, une expression de pur bonheur se peignit sur ses traits. Liz en eut les larmes aux yeux. C'était cela, Noël : l'émerveillement d'un petit garçon courant vers la bicyclette de ses rêves, sous le regard fier et ému de toute sa famille.

Liz tint le vélo afin qu'il puisse monter dessus, après quoi Peter prit le guidon et lui fit faire le tour du salon en s'efforçant de ne pas écraser les cadeaux des autres. Jamie était surexcité.

— Je l'ai eue ! Je l'ai eue ! Le père Noël m'a apporté ma bicyclette ! criait-il à tue-tête.

Jack mit un disque de chansons traditionnelles. Soudain, toute la maison sembla vibrer de l'esprit de Noël. Les filles entreprirent à leur tour d'ouvrir leurs cadeaux et Peter finit par convaincre Jamie de descendre de vélo, le temps que tous deux regardent ce que le père Noël leur avait apporté d'autre. De son côté, Jack avait découvert les livres reliés, ainsi que la veste en cachemire que Liz lui avait achetée chez Neiman Marcus. Elle-même était ravie du bracelet en or qu'il lui avait offert. Comme il l'avait espéré, il lui allait à la perfection et lui plaisait énormément.

Ils passèrent une demi-heure à ouvrir leurs cadeaux et à s'extasier de ce qu'ils avaient reçu, puis Jamie remonta sur son vélo et Peter l'aida à trouver son équilibre pendant que Liz allait préparer le petit déjeuner. Tous les ans, à Noël, elle leur faisait des gaufres, des saucisses et du bacon.

Alors qu'elle s'affairait autour de la cuisinière en fredonnant des airs de Noël, Jack vint la rejoindre pour lui tenir compagnie, et elle lui répéta combien elle était contente de son bracelet.

— Je t'aime, Liz, dit-il en la regardant tendrement. T'arrive-t-il de penser à la chance que nous avons ? ajouta-t-il avec un coup d'œil en direction de la porte.

Des exclamations ravies leur parvenaient du salon.

— Oh, à peu près cent fois par jour, sinon plus.

Elle s'approcha, l'entoura de ses bras et l'embrassa. Il l'attira contre lui.

— Merci de tout ce que tu fais pour moi, dit-il avec douceur. Je ne sais pas ce que j'ai fait pour te mériter, mais Dieu sait combien je suis heureux que nous nous soyons trouvés.

— Moi aussi, acquiesça-t-elle avant de retourner précipitamment vers la cuisinière pour retourner les saucisses et le bacon.

Jack fit le café et sortit le jus d'orange, et peu après tous s'installèrent autour de la table pour le petit déjeuner. Les enfants ne cessaient de s'extasier sur leurs cadeaux et de chahuter. Jamie avait installé son vélo à côté de lui pour ne pas le perdre de vue une seconde. Si on l'avait laissé faire, il aurait volontiers pris son petit déjeuner assis dessus.

— Quels sont vos projets pour aujourd'hui ? demanda Jack en se servant une deuxième tasse de café lorsque tout le monde fut rassasié.

— Je ne vais pas tarder à mettre la dinde en route, dit Liz après avoir consulté la pendule de la cuisine.

Elle avait acheté une dinde de près de dix kilos, et il lui faudrait quasiment toute la journée pour la faire cuire. Jack, de son côté, devait préparer sa célèbre farce.

Les filles annoncèrent qu'elles avaient l'intention d'essayer leurs nouveaux vêtements et d'appeler leurs amies. Peter voulait aller voir Jessica, mais Jamie lui fit promettre de revenir aussi vite que possible afin de l'aider à faire du vélo. Jack déclara qu'il passerait au bureau.

— Le jour de Noël ? s'insurgea Liz.

— Je n'y resterai qu'une minute. J'ai oublié un des dossiers sur lesquels je voudrais travailler ce week-end, expliqua-t-il.

— Pourquoi n'attends-tu pas demain pour y aller ? Tu n'as pas besoin de ce dossier aujourd'hui, fit-elle valoir.

Après tout, on était le jour de Noël, et elle s'inquiétait de voir Jack se surmener ainsi.

— Je me sentirai plus tranquille si je sais qu'il est là. Ça me permettra de me mettre au travail tôt demain matin, répondit-il d'un air un peu coupable.

— Qu'est-ce que tu m'expliquais hier, déjà ? Qu'il fallait savoir laisser son travail au bureau ? Faites-ce que je dis, pas ce que je fais, c'est cela, maître ?

— Ça ne me prendra que cinq minutes, après quoi je rentrerai à la maison préparer la farce. Je serai de retour avant même que tu te sois aperçue de mon absence.

Il lui sourit et l'embrassa après le départ des enfants, puis il l'aida à débarrasser la table. Elle resta ensuite dans la cuisine pour préparer la dinde pendant que Jack allait se doucher, et une demi-heure plus tard il redescendit, rasé de près et vêtu d'un pantalon kaki et d'un pull-over rouge.

— Tu as besoin de quelque chose ? s'enquit-il avant de partir.

Elle secoua la tête et lui sourit.

— Seulement de toi. Contrairement à certaines personnes de ma connaissance, je n'ai pas l'intention de travailler ce week-end. Les jours fériés, je me repose, moi.

Elle était encore en peignoir, les cheveux lâchés sur ses épaules. Ses yeux verts étincelèrent lorsqu'elle sourit avec amour à Jack. En cet instant, il songea qu'elle n'avait pas l'air plus âgée que lorsqu'ils s'étaient mariés.

— Je t'aime, Liz, dit-il avec douceur.

Il l'embrassa et se dirigea vers la porte, un sourire aux lèvres.

Durant tout le trajet jusqu'à son bureau, il ne cessa de penser à elle. Il se gara à sa place habituelle devant le cabinet, pénétra à l'intérieur avec sa clé et laissa la porte ouverte derrière lui. Après avoir désactivé l'alarme, il entra dans son bureau ; il savait exactement où se trouvait le dossier dont il avait besoin, et il lui fallut moins d'une minute pour le récupérer. Il s'apprêtait à remettre l'alarme lorsqu'il entendit des bruits de pas dans le hall. Pourtant, il savait qu'il n'y avait personne dans l'immeuble. Liz l'aurait-elle suivi ? Cela n'avait aucun sens. Passant la tête dans l'entrebâillement de la porte, il essaya de voir qui avait bien pu entrer derrière lui.

— Il y a quelqu'un ? appela-t-il.

Il n'y eut pas de réponse, mais il entendit un bruit étouffé suivi d'un étrange déclic métallique. Il sortit dans le couloir et se trouva soudain nez à nez avec Phillip Parker, le mari d'Amanda. Ce dernier arborait une expression patibulaire ; il n'était ni rasé ni coiffé, et paraissait avoir la gueule de bois. Baissant les yeux, Jack constata qu'il tenait un revolver à la main et le pointait sur lui.

D'une voix étrangement calme, Jack s'adressa au mari de sa cliente.

— Vous n'avez pas besoin de ça, Phil. Posez cette arme.

— Ne me dis pas ce que j'ai à faire, espèce de salaud ! Tu pensais pouvoir me baiser, hein ? Tu espérais me faire peur. Eh bien, sache que tu ne me fais pas peur : tu me fais chier. Ah, tu l'as manipulée, hein, tu as fait en sorte qu'elle t'obéisse au doigt et à l'œil ! Tu t'imaginais que tu lui faisais une grosse faveur, pas vrai ? Tu veux savoir ce que tu lui as fait, en réalité ?

Jack réalisa alors que Phillip Parker pleurait et qu'une de ses manches était maculée de sang. Il semblait être devenu fou. De toute évidence, il était soit soûl, soit drogué. De manière démente, hystérique, il poursuivit :

— Je lui avais dit que je la tuerais si vous ne reveniez pas en arrière… Je ne pouvais pas vous laisser me faire ça… Vous ne pouviez pas geler tous mes avoirs et me mettre par terre… Je lui avais dit que je le ferais… Je le lui avais dit… Elle n'avait pas le droit… Toi non plus…

— Ce n'est que pour un mois, Phil, le temps que vous nous donniez les informations que nous vous avons demandées. Et nous pouvons faire annuler la décision du tribunal à n'importe quel moment. Dès lundi, si vous voulez. Calmez-vous.

Jack s'exprimait d'une voix profonde, apaisante, mais son cœur battait à se rompre.

— Non, *toi* tu te calmes. Ne me dis pas ce que j'ai à faire. De toute façon, il est trop tard. Ça n'a plus d'importance. Tu as tout gâché. C'est toi qui m'as poussé à faire ça.

— A faire quoi, Phil ?

Mais avant même d'entendre sa réponse, Jack devina ce que son interlocuteur allait lui dire. Liz avait raison : en s'attaquant à sa fortune, ils l'avaient fait basculer dans la folie. Une vague de panique envahit Jack. Qu'avait-il fait à Amanda et aux enfants ?

— Je l'ai tuée, annonça-t-il froidement avant de se mettre à sangloter. C'est ta faute. Je ne voulais pas le faire, mais je n'avais pas le choix. Elle voulait me prendre tout ce que j'avais… Elle voulait tout, pas vrai ? La sale traînée… Vous n'aviez pas le droit… Qu'est-ce que j'étais censé faire, moi, pendant que vous aviez tout gelé, hein ? Mourir de faim ?

Jack savait qu'il n'aurait servi à rien d'argumenter avec lui. Il ne pouvait qu'espérer qu'il délirait et ne disait pas la vérité.

— Comment saviez-vous que je serais là, Phil ? demanda Jack calmement.

— Je t'ai suivi. J'ai passé toute la matinée devant chez toi.

— Où est Amanda ?

— Je te l'ai dit... Elle est morte...

Il s'essuya le nez sur sa manche, et le sang qui maculait sa veste laissa une traînée sinistre sur son visage.

— Où sont les enfants ?

— Ils sont avec elle. Je les ai laissés là-bas, dit-il en pleurant doucement.

— Vous les avez tués aussi ?

Phil secoua lentement la tête avant de pointer son revolver sur le visage de Jack.

— Je les ai enfermés avec elle dans la chambre.

A ces mots, Jack sentit son estomac se serrer.

— Et maintenant, continua Phil, je dois te tuer. Ce n'est que justice. Tout est ta faute. C'est toi qui l'as obligée à faire ça. C'était une gentille fille avant de te connaître. Tout est ta faute, espèce de salaud !

— Je sais. Amanda n'est pas responsable, Phil. Maintenant, posez votre arme et parlons sérieusement, d'accord ?

— Ordure, ne me donne pas d'ordres ou je te tue aussi, compris ?

Il passait de la douleur à la rage en une fraction de seconde, et le regard qu'il plongeait dans celui de Jack avait l'intensité d'un rayon mortel. Jack comprit soudain qu'il était sérieux et parfaitement capable de mettre ses menaces à exécution.

— Posez cette arme, Phil, répéta-t-il d'un ton posé et ferme en faisant lentement un pas en direction de son interlocuteur. Posez-la.

— Va te faire voir, salopard ! répondit Phil, mais il baissa légèrement son revolver.

Jack sentit qu'il gagnait du terrain, petit à petit : Phil commençait à céder. D'ici une minute, Jack pourrait agir et lui enlever son arme. Sans le quitter du regard, il continua à s'avancer vers lui. Il l'avait presque atteint lorsque le bruit d'une explosion retentit dans la pièce. Une expression incrédule se peignit sur les traits de Jack. Le revolver était pointé vers sa poitrine, et pendant un long moment il ne sentit absolument rien. Il crut d'abord que Phil l'avait raté. En vérité, la balle l'avait pénétré si nettement qu'il avait à peine conscience d'être grièvement blessé. Incapable de faire un mouvement, il demeura immobile et regarda Phil Parker porter le revolver à sa bouche et appuyer sur la détente. L'arrière de sa tête vola en éclats, projetant une giclée de sang et de matière grise contre le mur derrière lui. Au même instant, Jack eut l'impression qu'un boulet de canon lui percutait la poitrine et il tomba à genoux, essayant de comprendre ce qui lui était arrivé. Tout s'était passé si vite ! Il savait qu'il devait appeler quelqu'un avant de perdre connaissance. Comme au ralenti, il se sentit tomber contre une table de travail. Il repéra au passage un téléphone posé dessus ; il eut du mal à l'atteindre, mais il parvint à l'attirer à lui et composa le numéro des services d'urgence. Alors qu'il s'effondrait à terre, il entendit une voix à son oreille. Il avait du mal à respirer, à présent.

— Urgences de la police ?

— On m'a tiré dessus... parvint-il à articuler.

La voix lui répéta son numéro de téléphone et son adresse. Jack acquiesça dans un râle et confirma que la porte était ouverte.

— Appelez ma femme, dit-il d'une voix rauque avant de leur donner le numéro, à bout de souffle.

— Une ambulance est en route. Les secours seront près de vous dans moins de trois minutes, déclara la voix.

Mais déjà, il avait du mal à comprendre ce qu'on lui disait. Une ambulance ? Pourquoi ? Il ne s'en souvenait plus. Il ne voulait qu'une chose : voir Liz. Fermant les yeux, il frissonna. Il avait froid, se sentait mouillé. Au loin, il entendait une sirène. Il se demanda si c'était Liz qui arrivait, et pourquoi elle faisait autant de bruit. Et soudain, il fut entouré de bruits de voix. Quelqu'un le déplaçait. On plaça quelque chose sur son visage, on s'activa autour de lui. Les voix se firent plus pressantes. Il n'arrivait pas à se rappeler ce que tous ces gens faisaient là, ni ce qui s'était passé. Et où était Liz ? Que lui avaient-ils fait ? Il se sentait glisser vers le néant, mais quelqu'un ne cessait de l'appeler. Il voulait Liz, pas tous ces gens qui lui criaient dessus. Qui étaient-ils ? Et où étaient sa femme et ses enfants ?

Liz était encore en peignoir dans la cuisine lorsqu'elle reçut l'appel. Jack était parti une dizaine de minutes plus tôt, et elle songea qu'il devait s'agir d'Amanda. Elle fut surprise en entendant une voix inconnue. Son interlocuteur expliqua qu'il était officier de police et qu'il avait des raisons de penser que son mari avait été blessé à leur bureau. Il avait demandé à ce qu'on la prévienne, précisa-t-il. Une ambulance était déjà en route.

— Mon mari ?

Elle se demanda s'il pouvait s'agir d'une mauvaise plaisanterie. Cela n'avait pas de sens ; Jack n'était absent que depuis quelques minutes.

— A-t-il eu un accident de voiture en chemin ?

Mais ce n'était pas logique. Pourquoi ne l'avait-il pas appelée lui-même ? C'était fou.

— Il semblerait qu'il se soit fait tirer dessus, l'informa le policier avec autant de douceur que possible.

— Tirer dessus ? Jack ? Vous êtes sûr ?

— Nos services ne sont pas encore arrivés sur place, mais l'homme qui nous a appelés nous a dit qu'on lui avait tiré dessus et nous a demandé de prévenir sa femme, et c'est votre numéro qu'il nous a donné. Je crois que vous devriez vous rendre sur place immédiatement.

Liz songea un instant à monter à l'étage s'habiller, mais elle se ravisa. Si c'était vrai, et si Jack était blessé, elle devait se dépêcher. Elle remercia son correspondant et courut au pied des marches pour appeler Peter et lui demander de garder un œil sur Jamie.

— Je reviens dans quelques minutes, ajouta-t-elle sans prendre le temps d'expliquer où elle allait.

Elle se contenta d'attraper ses clés de voiture sur le comptoir de la cuisine et sortit de la maison en peignoir. Aussitôt dans sa voiture, elle se mit à prier de toutes ses forces. Faites qu'il aille bien… Je vous en prie, mon Dieu… Faites qu'il s'en sorte, je vous en prie… Les mots du policier résonnaient dans sa tête. Il avait dit que son mari s'était fait tirer dessus. *Tirer dessus... Tirer dessus...* Mais comment cela était-il possible ? C'était de la folie. On était le jour de Noël et il avait sa farce à préparer... Elle ne cessait de revoir son expression tendre lorsqu'il était sorti de la cuisine, dans son pantalon kaki et son pull rouge. « L'homme qui nous a appelés nous a dit qu'il s'était fait tirer dessus... »

Elle pénétra sur le parking du bureau à tombeau ouvert et vit deux voitures de police et une ambulance, tous gyrophares allumés. Elle courut à l'intérieur aussi vite qu'elle le put et gravit les marches de l'escalier quatre à quatre sans cesser de murmurer le nom de son mari. Jack... Jack...

En arrivant à l'étage, elle ne le vit pas tout de suite : il était caché par les policiers et les ambulanciers penchés autour de lui. Comme elle tournait la tête, son regard rencontra le mur couvert du sang de Phil Parker, et une vague de nausée l'envahit. Le corps du mort était encore au pied du mur, seulement recouvert d'un drap. Alors, sans réfléchir, elle avança d'un pas et écarta un policier pour s'approcher de son mari. Son visage était couleur de cendre et ses yeux étaient fermés. Paniquée, elle porta une main à sa bouche pour ne pas crier et se laissa tomber à genoux près de lui. Alors, comme s'il avait conscience de sa présence, Jack entrouvrit les yeux. On lui avait mis une perfusion dans le bras, et les ambulanciers étaient en train de s'occuper de sa blessure à la poitrine. Le pull-over qu'ils avaient découpé gisait sur la moquette ensanglantée. Il y avait du sang partout, sur lui, sur les sauveteurs, sur le sol. Cependant, en voyant Liz, Jack parvint à esquisser un sourire.

— Que s'est-il passé ? demanda-t-elle, trop effrayée pour appréhender la gravité de la situation.

— Parker, dit-il dans un murmure avant de fermer de nouveau les yeux.

Les ambulanciers le placèrent aussi rapidement et doucement que possible sur un brancard, mais il ne put retenir une grimace de douleur. Il rouvrit néanmoins les yeux et fronça les sourcils, déterminé à lui dire quelque chose.

— Je t'aime… Ça va aller, Liz…

Il essaya de tendre une main vers elle, mais il n'en eut pas la force, et tandis qu'elle courait à côté du brancard en direction de l'ambulance, elle vit qu'il avait perdu connaissance. Une vague de panique l'envahit.

Les ambulanciers ne parvenaient pas à juguler l'hémorragie, et la tension de Jack baissait de façon alarmante. Quelqu'un attrapa durement Liz par le bras et l'attira dans l'ambulance, la porte claqua, et le véhicule démarra à toute allure. Les deux sauveteurs s'activaient autour de Jack, en échangeant quelques mots d'un ton professionnel. Mais Jack ne rouvrit pas les yeux, il ne parla plus. Assise sur le sol de l'ambulance, Liz assistait à la scène dans un état second, incapable de croire ce qu'elle voyait, ce qu'elle entendait. Puis tout à coup, l'un des deux hommes se mit à appuyer fermement sur la poitrine de Jack, au moment même où un flot de sang se mettait à gicler dans l'habitacle. Liz était couverte de sang, et elle entendait l'autre ambulancier répéter : « Pas de pouls… pas de tension… pas de battements de cœur… » Horrifiée, elle était incapable de prononcer une parole. Ils atteignaient l'hôpital quand les deux hommes se tournèrent vers elle. Celui qui avait essayé de ranimer Jack secoua lentement la tête d'un air douloureux.

— Je suis désolé.

— Faites quelque chose… Il faut que vous fassiez quelque chose ! N'arrêtez pas, je vous en prie… N'arrêtez pas, sanglota-t-elle. N'arrêtez pas…

— Il est parti, je suis désolé.

— Non ! Il n'est pas parti, ce n'est pas possible… répétait-elle inlassablement.

Elle se pencha et serra Jack contre elle. Sa robe de chambre était toute tachée de sang, mais elle n'en avait cure. Elle avait à peine conscience du sifflement sinistre du masque à oxygène ; seul comptait Jack, sans vie entre ses bras. Au bout d'un certain temps, quelqu'un l'arracha à cette étreinte désespérée et la conduisit à l'intérieur de l'hôpital, où on la fit asseoir avant de l'envelopper dans une couverture. Tout autour d'elle, elle entendait des voix inconnues, sans parvenir à se concentrer sur ce qu'elles disaient. Puis elle vit entrer le chariot sur lequel reposait Jack, masqué par une couverture. Elle voulut se lever, ôter cette couverture du visage de Jack pour lui permettre de respirer, mais déjà les ambulanciers l'avaient dépassée. Elle ne savait pas où ils emmenaient son mari, et elle était incapable de bouger. Elle ne pouvait rien faire. Ni penser ni parler. Elle était totalement impuissante, et elle ignorait où était Jack.

— Madame Sutherland ?

Une infirmière était debout devant elle et s'efforçait d'attirer son attention.

— Je suis vraiment désolée pour votre mari. Y a-t-il quelqu'un que nous puissions prévenir ?

— Je… Je ne sais pas. Je… Où est-il ?

— Nous l'avons descendu au sous-sol pour le moment. Savez-vous déjà où il devra être emmené ?

— Emmené ? répéta Liz d'un air hagard, comme si son interlocutrice s'était exprimée dans une langue étrangère.

— Vous allez devoir prendre des dispositions.

— Des dispositions ?

Liz ne pouvait que répéter sans les comprendre les paroles de l'infirmière. Elle n'était pas en mesure de réfléchir ou de s'exprimer comme une personne normale. Qu'avaient-ils fait de Jack ? Et que s'était-il passé ? Quelqu'un lui avait tiré dessus. Où était-il à présent ?

— Y a-t-il quelqu'un que vous voudriez que j'appelle ? demanda pour la seconde fois l'infirmière.

Liz ne savait même pas quoi répondre. Qui pouvait-elle appeler ? Qu'était-elle censée faire, maintenant ? Comment avaient-ils pu en arriver là ? Jack était seulement passé au bureau une minute pour aller chercher un dossier. Il lui restait encore à préparer la farce…

Elle en était là lorsqu'un des policiers s'approcha d'elle.

— Nous vous ramènerons chez vous dès que vous le souhaiterez.

Liz le regarda sans le voir, et l'infirmière et lui échangèrent un coup d'œil de compréhension.

— Y a-t-il quelqu'un chez vous en ce moment ? demanda le policier.

— Mes enfants, répondit Liz d'une voix rauque.

Elle se leva tant bien que mal, mais ses jambes tremblaient si fort que le policier dut la soutenir pour l'empêcher de tomber.

— Y a-t-il quelqu'un d'autre que vous aimeriez que j'appelle ?

— Je ne sais pas.

Qui appelait-on lorsque son mari venait de se faire tirer dessus ? La secrétaire du cabinet, Jane ? Carole ? Sa mère dans le Connecticut ? Sans réfléchir, elle donna au policier les numéros de Jane et de Carole.

— Nous leur dirons de vous retrouver chez vous.

Liz acquiesça d'un hochement de tête. Un autre policier alla passer les coups de fil, tandis que l'infirmière lui apportait une robe de chambre de l'hôpital et l'aidait à ôter la sienne, couverte du sang de Jack. Sa chemise de nuit était en piteux état, elle aussi, mais Liz s'en moquait. Elle savait qu'elle avait des amis, des gens à appeler, mais aucun nom ne lui venait. Elle ne pouvait penser qu'à une chose : Jack, allongé sur le brancard, lui murmurant qu'il l'aimait.

Elle remercia l'infirmière pour la robe de chambre et promit de la rapporter, puis elle traversa pieds nus le hall de l'hôpital et alla rejoindre les policiers qui l'attendaient dehors dans leur voiture. L'infirmière lui demanda de passer un coup de téléphone lorsqu'elle aurait pris ses dispositions. Liz frissonna ; le mot lui-même lui était odieux.

Sans bruit, elle monta dans la voiture de police. Elle n'avait même pas conscience des larmes qui roulaient sur ses joues. Le regard fixé sur la nuque des deux policiers à l'avant, figée par une douleur indescriptible, elle ne reconnut sa maison que lorsque la voiture s'arrêta devant. Un policier vint lui ouvrir la portière et l'aider à descendre, et il proposa de l'accompagner à l'intérieur, mais elle secoua la tête. Déjà, Carole s'avançait vers elle, et au même instant la voiture de Jane s'immobilisait au bord du trottoir. Alors seulement, Liz éclata en sanglots, et bientôt les trois femmes furent dans les bras les unes des autres, en larmes. Ce qui venait de se produire était inimaginable, elles ne pouvaient croire que ce fût vrai, c'était trop monstrueux. Liz se sentait comme prisonnière d'un cauchemar. Jack ne pouvait être parti à jamais, c'était impossible... Des choses pareilles n'arrivaient que dans les livres ou les films.

— Il a tué Amanda aussi, dit Jane à travers ses larmes.

Le policier qui l'avait prévenue lui avait donné tous les détails dont il disposait.

— Les enfants vont bien, enfin, disons qu'au moins ils sont vivants. Ils l'ont vu assassiner leur mère. Mais il ne leur a pas fait de mal.

Phillip Parker avait tué Amanda et Jack, avant de mettre fin à ses jours. Les enfants Parker étaient orphelins... En quelques heures, une vague de destruction venait de déferler sur leurs vies à tous. Mais pour l'instant, Liz se demandait avant tout comment elle allait apprendre la nouvelle à ses propres enfants. Nul doute qu'en la voyant dans un tel état, ils devineraient instantanément que quelque chose de terrible s'était produit. Elle avait les cheveux emmêlés, sa chemise de nuit imbibée de sang avait maculé le peignoir de l'hôpital, et elle semblait avoir elle-même été victime d'un accident.

— A quoi est-ce que je ressemble ? demanda-t-elle à Carole en se mouchant, s'efforçant de reprendre contenance avant d'affronter ses enfants.

— A Jackie Kennedy à Dallas, répondit la gouvernante avec sincérité.

Cette comparaison arracha une grimace à Liz. Elle baissa les yeux sur la robe de chambre en coton gris couverte de sang.

— Pourriez-vous aller me chercher un autre peignoir, s'il vous plaît ? Je vous attendrai dans le garage... Et apportez-moi aussi une brosse à cheveux...

Toujours en larmes, elle demeura dans les bras de Jane et attendit. Elle essayait de comprendre, de reprendre le contrôle d'elle-même, de réfléchir à ce qu'elle allait dire aux enfants. Elle n'avait d'autre choix que de leur révéler la vérité, bien sûr, mais elle savait que la façon dont elle leur annoncerait la terrible nouvelle les marquerait jusqu'à la fin de leurs jours. Cela représentait une responsabilité effrayante.

Elle était toujours secouée de sanglots incontrôlables lorsque Carole revint avec la brosse et un peignoir en éponge propre. Elle enfila ce dernier et se coiffa sans même prendre la peine de se regarder dans une glace.

— De quoi ai-je l'air, maintenant ? demanda-t-elle à ses amies.

Elle ne voulait pas terroriser les enfants avant même d'avoir ouvert la bouche.

— Vous voulez une réponse honnête ? Vous avez une mine affreuse, mais au moins votre apparence ne risque pas de les effrayer, répondit Jane. Vous voulez que nous venions avec vous ?

Liz hocha la tête, et les deux femmes entrèrent à sa suite dans la cuisine, qui donnait directement sur le garage. Du bruit leur parvenait en provenance du salon, indiquant qu'une partie au moins des enfants s'y trouvaient. Liz demanda à ses compagnes d'attendre dans la cuisine qu'elle ait annoncé la nouvelle aux enfants ; elle estimait de son devoir d'être seule avec eux au moment fatidique.

Peter et Jamie chahutaient en riant sur le canapé quand elle entra. Ce fut Jamie qui la vit le premier, et il s'immobilisa brusquement.

— Où est papa ? demanda-t-il, comme averti par un sixième sens.

Il n'était pas rare que Jamie sente certaines choses mieux que son frère et ses sœurs.

— Il n'est pas là, répondit Liz en luttant pour garder le contrôle d'elle-même. Où sont les filles ?

— En haut, répondit Peter, visiblement inquiet. Quelque chose ne va pas, maman ?

— Va les chercher, mon grand, veux-tu ?

Il était en quelque sorte le chef de famille, à présent, même s'il l'ignorait encore.

Sans un mot, Peter se hâta de monter à l'étage, et un moment plus tard il revint avec ses sœurs. Les quatre enfants étaient très graves, comme s'ils sentaient que leurs vies étaient sur le point de basculer à jamais. Silencieux, ils regardaient leur mère, qui s'était assise sur le canapé, très pâle.

— Venez et asseyez-vous, leur dit-elle aussi doucement que possible.

Instinctivement, ils vinrent s'installer tout autour d'elle. Elle tendit la main pour les caresser tour à tour, et malgré tous ses efforts, des larmes se remirent à couler sur ses joues. Elle prit leurs mains entre les siennes et serra Jamie contre elle.

— J'ai quelque chose de terrible à vous dire... Il s'est passé quelque chose d'affreux...

— Quoi ? demanda Megan d'une voix paniquée.

Déjà, elle pleurait aussi.

— C'est papa, répondit simplement Liz. Le mari d'une de nos clientes lui a tiré dessus.

— Où est-il ? s'enquit Annie, joignant ses larmes à celles de sa sœur.

Peter et Jamie regardaient leur mère avec incrédulité, sans parvenir à croire ce qu'ils venaient d'entendre. Comment l'auraient-ils pu ? Liz elle-même n'avait pas encore pleinement réalisé l'ampleur du drame.

— A l'hôpital, répondit-elle.

Mais elle ne voulait pas les induire en erreur et savait qu'elle leur devait la vérité, aussi terrible fût-elle. Le moment fatidique était arrivé — ce moment qu'ils revivraient encore et encore en esprit, des millions de fois, tout au long de leur existence.

— Il est à l'hôpital, mais il est mort il y a une demi-heure, reprit-elle. Il vous aimait très très fort...

Elle les serrait contre elle de toutes ses forces, le cœur brisé comme ils criaient leur souffrance et leur sentiment d'injustice.

— Il vous aimait tant... répétait-elle à travers ses propres sanglots. Si vous saviez comme il vous aimait...

— Non ! gémissaient les filles à l'unisson.

Peter était secoué de sanglots. Quant à Jamie, il se dégagea de l'étreinte de sa mère et se mit à reculer lentement, les yeux écarquillés d'horreur.

— C'est pas vrai. Je te crois pas ! hurla-t-il avant de courir à l'étage.

Liz le suivit aussitôt et le trouva prostré dans un coin de sa chambre, roulé en boule, en larmes, les bras repliés au-dessus de sa tête comme pour se protéger des paroles de Liz et de l'horreur de ce qui leur arrivait. Elle le souleva avec difficulté, l'assit près d'elle sur le lit et le berça un moment en pleurant en silence.

— Ton papa t'aimait de tout son cœur, Jamie, murmura-t-elle enfin.

— Je veux qu'il revienne, gémit l'enfant entre deux sanglots.

— Moi aussi, avoua-t-elle, à l'agonie.

Jamais elle n'avait connu pareille souffrance, et elle ignorait comment faire pour apporter un peu de réconfort à ses enfants, alors qu'elle-même avait l'impression d'être au bord d'un gouffre sans fond.

— Est-ce qu'il va revenir ?

— Non, mon bébé. Il ne peut pas. Il est parti.

— Pour toujours ?

Elle hocha seulement la tête, incapable de répondre. Pendant encore quelques minutes, ils demeurèrent enlacés, puis avec une grande douceur Liz se leva et prit la main du petit garçon dans la sienne.

— Retournons avec les autres, d'accord ?

Jamie acquiesça en reniflant et ils redescendirent dans le salon, où les quatre autres étaient enlacés, en larmes. Carole et Jane étaient avec eux. L'arbre de Noël et les paquets ouverts sur le tapis semblaient presque obscènes. Deux heures plus tôt, ils découvraient leurs cadeaux dans l'allégresse, ils partageaient un copieux petit déjeuner, tout était pour le mieux dans le meilleur des mondes... Et maintenant, Jack était parti. A jamais. C'était impensable, insupportable. Qu'allait-il se passer, désormais ? Liz n'en avait pas la moindre idée. Elle savait seulement qu'il lui faudrait continuer à avancer, coûte que coûte, mètre par mètre, jour après jour.

Elle conduisit tout le monde dans la cuisine et fondit de nouveau en larmes en apercevant la tasse de café de Jack abandonnée sur la table, près de sa serviette. Carole les fit disparaître rapidement avant de leur servir à chacun un verre d'eau. Ils demeurèrent autour de la table et sanglotèrent pendant ce qui leur parut des heures, puis la gouvernante monta à l'étage avec les enfants afin de permettre à Liz de discuter avec Jane des dispositions à prendre. Il fallait prévenir la famille, les proches. Les parents de Jack vivaient à Chicago et voudraient venir. Son frère était à Washington. La mère de Liz se trouvait dans le Connecticut et ses frères dans le New Jersey. Elle devrait aussi appeler les amis, le journal, l'entreprise de pompes funèbres, leurs collègues, anciens associés et clients.

Jane prenait des notes et posait de temps à autre des questions pour guider Liz. Quel type de service souhaitait-elle ? Jack aurait-il voulu être enterré ou incinéré ? A vrai dire, ils n'en avaient jamais discuté, et cette conversation rendait la jeune femme malade. Il y avait tant de choses à faire, tant de détails odieux à régler ! Elle allait devoir écrire sa nécrologie, appeler le pasteur, choisir un cercueil. Autant de choses sinistres, irréelles, terrifiantes.

Tout à coup, Liz sentit une vague de panique déferler en elle. Elle décocha à sa secrétaire un regard désespéré, luttant pour ravaler le cri de détresse qui lui montait à la gorge. Ce n'était pas possible. Où était-il ? Et comment allait-elle faire pour vivre sans lui ? Que leur arriverait-il, aux enfants et à elle ?

Baissant la tête, elle éclata de nouveau en sanglots. Son mari avait été tué par un malade. Jack n'était plus. Les enfants et elle étaient seuls, désormais.

3

Pendant toute la journée, Liz eut l'impression d'être un véritable zombie. Elle passa des coups de fil, reçut quelques visites, des fleurs. Elle avait conscience d'une douleur si intense qu'elle en était presque physique, et par moments les vagues d'angoisse qui la submergeaient étaient si violentes qu'elle avait l'impression de se noyer. Une seule chose lui semblait encore réelle, tangible : son inquiétude pour les enfants. Qu'adviendrait-il d'eux ? Comment survivraient-ils à un choc pareil ? La souffrance qu'elle lisait sur leurs visages était aussi absolue que la sienne, et il n'y avait rien qu'elle pût faire pour leur faciliter les choses. Son sentiment d'impuissance était total. Sa vie ne lui appartenait plus, elle se sentait emportée par un courant irrésistible et projetée contre un mur de briques.

Les voisins leur avaient apporté à manger. De son côté, Jane avait passé des dizaines de coups de téléphone ; elle avait notamment appelé Victoria Waterman, la plus proche amie de Liz à San Francisco. Victoria était avocate, elle aussi, bien qu'elle eût cessé d'exercer cinq ans plus tôt pour se consacrer à ses trois enfants. Après avoir essayé durant des années d'avoir un bébé, elle avait eu des triplés par fécondation in vitro et avait décidé de rester chez elle pour profiter d'eux.

En vérité, Victoria était la seule personne que Liz soit réellement heureuse de voir. Aussitôt après avoir parlé à Jane, la jeune femme avait jeté quelques affaires dans un sac et s'était précipitée chez son amie, laissant les enfants à son mari. Elle avait l'intention de rester auprès de Liz aussi longtemps que nécessaire. Dès que Liz la vit, debout dans l'encadrement de la porte, elle éclata en sanglots. Victoria la prit dans ses bras sans un mot et resta ainsi, immobile, pendant près d'une heure, la laissant pleurer tout son soûl.

Il n'y avait rien qu'elle pût dire pour soulager son amie, aussi n'essaya-t-elle même pas de parler. Elles restèrent là, dans les bras l'une de l'autre, partageant leurs larmes. Liz essaya d'expliquer ce qui s'était passé, en partie pour mieux l'appréhender, mais cela continuait à lui paraître incompréhensible.

Elle portait toujours sa chemise de nuit maculée de sang, la robe de chambre grise de l'hôpital et son peignoir rose. Victoria l'aida à se déshabiller et la conduisit avec douceur dans la salle de bains pour qu'elle puisse prendre une douche. Mais rien n'y faisait — qu'elle se lavât, bût, mangeât, parlât ou pleurât, la situation était toujours la même, désespérément. Elle avait beau tourner et retourner les faits dans sa tête, les relater encore et encore à tous ceux qui l'entouraient, le résultat ne variait pas.

Quand elle sortit de sa chambre pour aller rejoindre ses enfants, elle trouva Carole avec Jamie et les filles. Peter était parti chez Jessica, et Jane continuait à passer des coups de téléphone. Victoria essaya de convaincre Liz de s'allonger, mais elle refusa. Cet après-midi-là, Jane vint la voir et lui dit d'un air triste que le moment était venu de songer aux « dispositions à prendre ». C'était une expression que Liz haïssait de toute son âme, et qui représentait pour elle le résumé de ce qui leur arrivait. Prendre des dispositions, cela signifiait choisir une entreprise de pompes funèbres, un cercueil, le costume que porterait Jack, l'endroit où se tiendrait la veillée funèbre, où les gens viendraient le « voir », non plus comme une personne mais comme un objet ou un tableau d'exposition.

Liz avait déjà décidé que le cercueil serait fermé pour les derniers hommages. Elle ne voulait pas que quiconque se rappelât Jack ainsi, et préférait que ses proches emportent avec eux le souvenir de l'homme qu'il avait été, gai, vivant, jouant et bavardant avec ses enfants ou haranguant les juges. Ils n'avaient pas à voir son corps sans vie.

Elle savait que, quelque part, la famille d'Amanda Parker était confrontée à la même horreur. Ses enfants devaient être anéantis… Ils étaient encore jeunes et à en croire les renseignements recueillis par Jane, ils seraient pris en charge par la sœur d'Amanda. Liz demanda à Jane de faire envoyer des fleurs à l'enterrement de sa cliente, et se promit d'appeler la mère de cette dernière d'ici quelques jours. Pour l'instant, en vérité, elle était incapable de penser à autre chose qu'à ses propres enfants ; sa détresse était trop grande pour qu'elle pût faire davantage que compatir de loin avec la famille d'Amanda.

Tard ce soir-là, le frère de Jack arriva de Washington. Ses parents étaient déjà là, et le lendemain matin tous trois accompagnèrent Liz pour effectuer les démarches auprès des pompes funèbres. Jane et Victoria étaient là, elles aussi, et Victoria tint la main de son amie pendant qu'elle choisissait le cercueil. Elle en prit un en acajou, avec des poignées en laiton et une doublure en velours blanc, à la fois sobre et élégant. Les employés des pompes funèbres lui décrivaient les caractéristiques de chaque modèle comme si elle était venue acheter une voiture, et au bout d'un moment, l'horreur de la situation lui apparut si clairement qu'elle faillit partir d'un rire hystérique, au lieu de quoi elle éclata en sanglots incontrôlables. Elle était incapable de se maîtriser, de dominer les vagues d'émotions successives qui la balayaient. Le destin l'avait abandonnée au milieu d'un océan démonté, et elle savait que jamais, désormais, elle ne pourrait regagner les rivages rassurants d'autrefois. Serait-elle un jour capable d'agir normalement ? Recouvrerait-elle la raison ? Pourrait-elle rire, lire un magazine, aller au cinéma, accomplir toutes ces choses que les gens ordinaires faisaient sans même y penser ? Cela paraissait impossible. Chaque fois qu'elle passait près du sapin de Noël, dans le salon, elle avait l'impression qu'il symbolisait ce qui ne serait plus jamais, le fantôme des Noëls perdus.

Ce soir-là, ils furent une quinzaine autour de la table du dîner. Outre Liz et les enfants, étaient présents Victoria, Carole, Jane, James — le frère de

Jack, qui avait donné son prénom à Jamie —, ses parents, le frère de Liz, John, un ami d'enfance de Jack venu de Los Angeles. et Jessica, la petite amie de Peter. D'autres personnes étaient venues et reparties ; la sonnette de la porte d'entrée n'avait cessé de retentir, annonçant tantôt des visites et tantôt des livraisons de fleurs. Le monde entier semblait être au courant de la tragédie. Jane avait, Dieu merci, réussi à garder la presse à distance. L'affaire avait fait les gros titres du journal du soir, et l'on en avait parlé à la télévision, mais Liz avait empêché les enfants de regarder le reportage.

Lorsque les plus jeunes se furent retirés après le dîner, les adultes parlèrent du déroulement de l'enterrement. Ils furent interrompus une fois encore par la sonnerie de la porte : c'était la mère de Liz, Helen, arrivée du Connecticut. Dès qu'elle vit sa fille, elle fondit en larmes.

— Oh, mon Dieu, Liz… Tu es dans un état…

— Je sais, maman, je suis désolée… Je…

La jeune femme ne savait que dire. Sa relation avec sa mère n'avait jamais été particulièrement chaleureuse, et elle ne se sentait pas très à l'aise avec elle. Elle préférait la savoir à distance ; elle ne lui avait jamais pardonné son manque de soutien et de compassion à la naissance de Jamie.

Carole lui demanda poliment si elle avait faim, mais Helen répondit qu'elle avait dîné dans l'avion. Elle s'assit néanmoins à table avec les autres et accepta la tasse de café que lui servit Jane.

— Seigneur, Liz, que vas-tu faire maintenant ? demanda-t-elle, allant droit au cœur du problème avec sa franchise habituelle.

Les autres, submergés de chagrin, s'étaient efforcés de vivre les heures et les minutes comme elles venaient. Les questions dérangeantes arriveraient plus tard, songeaient-ils. Mais la mère de Liz n'avait jamais été femme à mâcher ses mots ou à se laisser dominer par de vains scrupules.

— Il va falloir que tu renonces à cette maison, tu sais. Tu ne pourras pas l'entretenir toute seule... Et puis, tu vas devoir fermer ton cabinet. Impossible de continuer sans Jack.

C'était exactement le sentiment qu'avait Liz, et cela la terrifiait.

Comme toujours, sa mère était allée directement au cœur de sa terreur pour la lui lancer au visage. Liz avait l'impression d'entendre de nouveau les paroles qui l'avaient tant blessée, neuf ans plus tôt. « Tu ne vas pas garder ce bébé chez toi, tout de même ? Mon Dieu, Liz, mais la présence d'un enfant comme lui nuira terriblement aux quatre autres... » On pouvait toujours compter sur Helen pour exprimer à haute voix les pires craintes enfouies en chacun. D'ailleurs, Jack l'avait toujours surnommée, en riant, « Mme Catastrophe ». Il répétait inlassablement à Liz de ne pas tenir compte des prédictions alarmistes de sa mère... Mais où était-il à présent ? Et si Helen avait raison ? Si Liz était contrainte de vendre la maison et de fermer le cabinet ? Comment allait-elle s'en sortir sans Jack ?

— Pour l'instant, ce qui importe c'est lundi, intervint Victoria d'une voix ferme. Chaque chose en son temps.

Le cercueil de Jack resterait tout le week-end au funérarium pour ceux qui souhaiteraient lui rendre hommage, et l'enterrement aurait lieu le lundi à St Hilary. C'était sur cela que devait se concentrer Liz pour l'instant. Ensuite, ils l'aideraient tous à reprendre sa vie en main, ils l'entoureraient de leur mieux. Il était inutile qu'elle commence, d'ores et déjà, à se faire du souci pour l'avenir. Ce qu'elle avait à traverser était suffisamment pénible.

L'esprit de Liz ne cessait de revenir à la matinée de Noël. Cela la hantait comme un cauchemar, et elle savait que désormais ni ses enfants ni elle ne pourraient l'oublier. Jamais plus ils ne décoreraient un sapin de Noël, n'entendraient des chants traditionnels ou n'ouvriraient leurs cadeaux sans repenser à ce qui était arrivé à Jack un 25 décembre au matin. Ravagée par le chagrin, Liz regarda autour d'elle les visages de ceux qui étaient venus la soutenir.

— Viens, il est temps que tu montes t'allonger, lui dit Victoria.

C'était une femme de petite taille, brune aux yeux noirs, dont la voix ferme vous dissuadait de discuter, et c'était précisément de cette fermeté que Liz avait besoin en cet instant. Quand Victoria travaillait encore, Liz la traitait souvent, pour la taquiner, de « terreur des tribunaux ». Elle était spécialisée dans les questions de responsabilité civile et avait obtenu des sommes fabuleuses pour ses clients... Aussitôt, Liz repensa à Jack, à Amanda et à tout ce qui s'était passé. Elle se remit à pleurer doucement tandis qu'elle gravissait les marches conduisant au premier étage, suivie de Victoria.

Liz lui demanda d'installer Peter dans la chambre de Jamie et de donner à sa mère la chambre de Peter. James dormirait sur le canapé du bureau de Jack, et le frère de Liz dans le salon. La maison était pleine à craquer. Jane partagerait la chambre de Carole, qui disposait de lits jumeaux, et Liz avait déjà demandé à Victoria de dormir près d'elle dans son grand lit. Tous ses proches étaient réunis autour d'elle, prêts à l'aider à lutter contre la douleur. Où qu'elle regardât, Liz voyait du monde : Peter et Jessica parlaient à voix basse dans l'une des chambres, Jamie était assis sur les genoux de Megan. Tous paraissaient calmes, et ils ne pleuraient pas.

Liz entra dans sa chambre avec Victoria. Elle s'allongea sur le lit avec un soupir douloureux et fixa le plafond. Elle avait l'impression d'avoir été rouée de coups.

— Et si ma mère avait raison, Vic ? Si j'étais obligée de vendre la maison et de laisser tomber le cabinet ?

— Et si la Chine nous déclarait la guerre et décidait de faire sauter la maison le jour de l'enterrement ? Penses-tu que nous devrions commencer à faire les bagages tout de suite ?

Victoria la taquinait ouvertement, et pour la première fois depuis le drame Liz esquissa un pâle sourire.

— Je pense que les questions que ta mère se pose sont inutiles, et en tout cas prématurées. Comment ose-t-elle sous-entendre que, professionnellement, tu n'es pas capable de te débrouiller sans Jack ? Allons, souviens-toi, Jack disait toujours qu'en fait tu étais meilleure avocate que lui.

Et cela, Victoria le croyait volontiers. Liz avait une connaissance de la loi impressionnante, et s'il lui manquait un peu de panache au tribunal, elle compensait sa timidité naturelle par une précision et une capacité d'analyse à toute épreuve.

— Il disait seulement ça par gentillesse, répondit Liz avec de nouveau les larmes aux yeux.

Mon Dieu, elle n'arrivait pas à se mettre dans la tête qu'il n'était plus là. Où était-il ? Elle voulait qu'il revienne, à présent... Ce matin encore, elle s'était éveillée à son côté, et le soir avant cela, ils avaient fait l'amour. A cette seule pensée, elle se remit à pleurer amèrement. Jamais plus elle ne ferait l'amour, jamais plus elle ne serait avec lui, jamais plus elle n'aimerait. Elle avait l'impression d'avoir perdu la vie en perdant Jack.

— Tu t'y connais mieux que personne en droit familial, affirma Victoria, s'efforçant de ramener son amie au présent.

Elle devinait sans peine le cours qu'avaient pris les pensées de Liz et voulait à tout prix l'empêcher de ressasser de douloureux souvenirs.

— Jack était comme moi, un bluffeur de première devant la cour, voilà tout, poursuivit-elle.

— Oui, et regarde où ça l'a mené, soupira Liz avec amertume. Je lui avais pourtant dit que Phillip Parker était capable de se montrer violent si on touchait à son argent... Mais jamais je n'aurais pensé qu'il irait jusqu'à assassiner sa femme et Jack.

Elle se tut, étouffée par les larmes, et Victoria s'assit près d'elle pour la prendre dans ses bras et la bercer doucement en attendant que la crise se calme un peu. Lorsque, enfin, les sanglots s'espacèrent, Victoria remarqua la mère de son amie, debout sur le seuil de la pièce.

— Comment va-t-elle ? lui demanda Helen, s'adressant directement à elle comme si Liz était incapable de l'entendre ou de répondre par elle-même.

De fait, c'était en partie le cas ; la jeune femme avait l'impression de flotter au-dessus de son corps et d'assister à la scène de l'extérieur.

— Ça va, maman, tout va bien, articula-t-elle.

C'était un énorme et absurde mensonge, mais qu'aurait-elle pu dire d'autre ? Elle avait l'impression de devoir prouver à sa mère qu'elle était capable de s'en sortir. Elle était terrifiée à l'idée qu'Helen pût avoir raison et ne voulait pas songer à ce qu'il adviendrait d'elle si elle était contrainte de vendre la maison et le cabinet.

— On ne dirait pas, répondit sa mère d'un air sombre. Demain, tu devrais te laver les cheveux et te maquiller un peu.

« Demain, je devrais mourir pour ne plus avoir à endurer tout ça », aurait voulu répondre Liz, mais elle se tut. A quoi bon se battre contre sa mère, en plus de tout le reste ? Elle avait trop de problèmes pour en rajouter. L'important était que les enfants se sentent entourés par leur famille au grand complet, même si Jack et elle n'avaient jamais été particulièrement proches de leurs parents et de leurs frères respectifs.

Victoria et elle passèrent un long moment à bavarder au lit ce soir-là. Elles parlèrent surtout de Jack, bien sûr, et de ce qui s'était passé. Liz avait la certitude de ne jamais se remettre du drame qu'elle venait de vivre. De nombreuses personnes lui avaient d'ailleurs dit au téléphone, ce jour-là, que les morts violentes comme celle-là constituaient toujours des traumatismes majeurs dont on ne ressortait pas intact. D'autres, bien sûr, avaient affirmé le contraire et s'étaient empressées de lui conseiller de sortir, de voir du monde pour se changer les idées. Peut-être même rencontrerait-elle quelqu'un très vite ? Avec un peu de chance, elle serait remariée dans les six mois…

Un peu de chance ? Comment pouvait-on dire une chose pareille ? Sans oublier les conseils qui allaient de pair avec ce genre de discours : « Vendez la maison, déménagez, installez-vous en ville, prenez un nouvel associé, laissez tomber le cabinet, dites ceci ou cela aux enfants, achetez un chien, faites-le incinérer, jetez les cendres dans la mer, ne laissez pas les enfants assister à l'enterrement, assurez-vous que les enfants aient vu le corps avant que le cercueil soit refermé, faites en sorte qu'ils ne le voient pas afin de ne pas emporter cette image de leur père avec eux… » Tout le monde semblait avoir des conseils gratuits à lui prodiguer et tenait à exprimer son opinion. Rien que d'écouter tout cela, elle était épuisée et découragée. Et, en fin de compte, tout se résumait à un triste constat : Jack n'était plus là, et elle était seule à présent.

Elle ne s'endormit qu'à cinq heures du matin, et durant toute la nuit Victoria resta éveillée avec elle et l'écouta patiemment. A six heures, Jamie vint les rejoindre dans le lit.

— Où est papa ? demanda-t-il en se blottissant contre Liz.

Cette question lui broya le cœur. Etait-il possible qu'il eût oublié ? Peut-être que la réalité était si insupportable à assumer qu'il l'avait refoulée dans son inconscient.

— Il est mort, mon chéri. Un méchant monsieur lui a tiré dessus.

— Je sais bien, répondit-il. Mais maintenant, je veux dire, il est où ?

Jamie la regardait d'un air perplexe, comme s'il ne comprenait pas qu'elle ait pu le croire capable d'avoir oublié la mort de son père. Liz lui sourit tristement.

— Il est au funérarium, nous allons y aller aujourd'hui. Mais en fait, il est au paradis, avec Dieu.

Du moins espérait-elle que c'était le cas, et que tout ce qu'elle avait toujours cru était vrai. Elle priait pour qu'il fût heureux et en paix, comme on le lui avait appris. Mais au fond de son cœur, elle n'en était pas certaine. Elle avait trop envie qu'il revienne pour le croire tout à fait.

— Comment peut-il être dans deux endroits à la fois ?

— Son esprit, tout ce que nous connaissons et aimons de lui est au paradis avec Dieu et ici, avec nous, dans nos cœurs. Son corps est au funérarium, un peu comme s'il dormait.

Alors qu'elle prononçait ces mots, des larmes perlèrent à ses paupières, mais Jamie hocha la tête, visiblement satisfait par cette réponse.

— Quand est-ce que je le reverrai ?

— Quand tu le rejoindras au paradis. Mais ça n'arrivera que quand tu seras très, très vieux.

— Pourquoi le méchant monsieur lui a tiré dessus ?

— Parce qu'il était très en colère et que c'était un fou. Il a aussi tiré sur quelqu'un d'autre. Mais à la fin, il s'est tué, alors il ne risque pas de revenir nous faire du mal.

Elle ne savait pas si c'était une éventualité qui inquiétait le garçonnet, mais elle préférait le rassurer.

— Est-ce que papa lui avait fait du mal ?

C'était une question pertinente.

— Papa a fait quelque chose qui a mis le monsieur très en colère. Tu comprends, il avait été méchant avec sa femme, alors papa a demandé au juge de lui prendre son argent.

— Est-ce qu'il a tiré sur papa pour récupérer son argent ?

— En quelque sorte.

— Est-ce qu'il a aussi tiré sur le juge ?

— Non.

Jamie hocha de nouveau la tête d'un air pensif avant de s'allonger tout contre elle et de la serrer dans ses bras. Victoria en profita pour se lever et aller prendre une douche. La journée allait être longue pour tout le monde, et elle voulait se préparer pour pouvoir aider Liz de son mieux.

En définitive, ce fut plus dur encore que Victoria ne s'y attendait. Toute la famille se rendit au funérarium. Liz avait demandé que des roses blanches fussent placées tout autour du cercueil et sur celui-ci, et la senteur capiteuse des fleurs semblait tout imprégner. Pendant un long moment, on n'entendit que le son des sanglots, et finalement Victoria et James entraînèrent les enfants au-dehors. Ils parvinrent à convaincre la mère de Liz de les accompagner, si bien que la jeune femme demeura seule avec le cercueil en acajou qu'elle avait choisi. L'homme qu'elle avait passionnément aimé pendant plus de vingt ans reposait à l'intérieur.

— Comment une chose pareille a-t-elle pu se produire ? murmura-t-elle en s'agenouillant sur la moquette élimée, à côté du cercueil. Que vais-je devenir, sans toi ?

Doucement, elle posa une main sur le bois lisse. C'était intolérable, et pourtant elle n'avait pas le choix. Il fallait qu'elle trouve un moyen de s'en sortir, de supporter l'insupportable. Le destin avait décidé de lui jouer ce tour cruel, et maintenant elle devait assumer, ne fût-ce que pour ses enfants.

Au bout d'un moment, Victoria revint la chercher et elles sortirent chercher quelque chose à manger, mais Liz fut incapable d'avaler quoi que ce fût. Les enfants avaient recouvré la parole, et Peter taquinait les filles pour leur remonter un peu le moral ; il gardait également un œil sur sa mère, et s'assurait que Jamie mangeait bien son hamburger. Tous semblaient avoir grandi en l'espace d'une nuit. Comme s'il ne pouvait plus s'offrir le luxe de se conduire en adolescent, Peter était devenu un homme au cours des dernières heures. Même les filles paraissaient plus mûres, tout à coup, et Jamie n'était plus vraiment le bébé d'autrefois. Chacun faisait de son mieux pour se montrer fort et soutenir les autres.

Après le déjeuner, Carole ramena les enfants à la maison, et les autres retournèrent au funérarium avec Liz. Tout l'après-midi, les visiteurs venus rendre leurs derniers hommages à Jack, pleurer et réconforter Liz se succédèrent. On eût dit un cocktail sinistre, où les pleurs remplaçaient les rires, et où le cercueil tenait lieu de buffet. A tout instant,

Liz s'attendait à ce que Jack apparaisse, un sourire aux lèvres, et leur dise que tout cela n'était qu'une erreur, une plaisanterie sans conséquences. Mais rien de tel ne se produisit, bien sûr. Le temps semblait s'étirer à l'infini.

A la fin du second jour, Liz se sentait au bord de la crise d'hystérie tant la douleur était intolérable. Pourtant, en apparence, elle donnait l'impression contraire, à tel point que beaucoup de gens se demandaient si elle avait pris des calmants. Ce n'était pas le cas ; elle agissait seulement par automatismes, accomplissant les gestes qu'on attendait d'elle dans une sorte de stupeur hébétée.

Le lundi matin, le soleil brillait dans un ciel sans nuages. Avant l'enterrement, Liz retourna une dernière fois passer un moment seule près de la dépouille de son mari. Elle avait décidé de ne pas revoir son corps, mais cette décision n'avait pas été facile à prendre : elle avait l'impression de manquer à son devoir. Cependant, elle ne se sentait pas capable de supporter la vue du cadavre. Elle ne voulait pas se souvenir de Jack de cette façon. Elle l'avait vu pour la dernière fois dans l'ambulance, et auparavant sur le sol de leur bureau, quelques minutes avant sa mort, et c'était déjà assez douloureux ainsi. Elle craignait, confrontée à son cadavre, de sombrer complètement dans la folie.

Calmement, elle quitta les locaux des pompes funèbres et rentra chez elle. Elle trouva les enfants qui l'attendaient dans le salon, entourés de leurs oncles et grands-parents. La mère de Liz portait un tailleur noir, et les filles des robes bleu marine achetées par leur grand-mère. Peter avait revêtu le costume bleu foncé que Jack lui avait offert le mois précédent — son premier costume — et Jamie portait un blazer et un pantalon en flanelle grise. Liz, pour sa part, avait mis une robe noire que Jack aimait tout particulièrement, et un manteau noir. Ils avaient tous l'air triste et solennel, et lorsqu'ils s'installèrent au premier rang dans l'église St Hilary, Liz entendit des gens pleurer et se moucher.

Le service fut bref mais très beau. L'église était pleine, il y avait des fleurs partout ; pour Liz, néanmoins, tout se déroula dans un brouillard. Jane et Carole avaient prévu un buffet chez Liz, et plus de cent personnes vinrent partager ce repas avec elle et lui dire combien elles étaient désolées. Mais Liz, elle, ne parvenait à songer qu'à une chose : elle avait laissé Jack tout seul au cimetière.

Elle avait placé une rose rouge sur le cercueil avant de déposer un baiser sur le bois verni et de tourner les talons, tenant Jamie par la main et soutenue par Peter. Sa douleur avait été telle, en cet instant, qu'elle savait que jamais, de toute sa vie, elle ne l'oublierait.

Toute la journée, elle accomplit des gestes mécaniques sans vraiment en avoir conscience. Deux heures après le départ des invités, son beau-frère reprit l'avion pour Washington, pendant que son frère repartait dans le New Jersey et les parents de Jack à Chicago. Victoria rentra chez elle mais promit de repasser le lendemain avec les garçons. Jane retourna également chez elle ce soir-là. Quant à la mère de Liz, elle repartirait le lendemain matin. Ensuite, la jeune femme serait seule avec les enfants, et il lui faudrait vivre sans Jack pour le restant de ses jours.

Quand, enfin, les enfants montèrent se coucher ce soir-là, Liz et sa mère demeurèrent un moment au salon. L'arbre de Noël était toujours là, mais ses branches commençaient à s'affaisser, comme pour s'accorder à l'humeur de la maison. Des larmes dans les yeux, la mère de Liz lui tapota la main avec douceur.

— Je suis triste que ce malheur te soit arrivé.

Elle-même avait perdu son mari dix ans plus tôt, mais il avait succombé à une longue maladie à l'âge de soixante et onze ans. Elle avait eu le temps de se préparer à son décès, et celui-ci s'était produit alors que leurs enfants étaient déjà adultes et volaient de leurs propres ailes. Bien sûr, ç'avait été douloureux pour elle, mais ce qu'elle avait ressenti n'était rien, et elle en avait conscience, comparé à ce qu'éprouvait Liz en cet instant.

— Je suis tellement triste, répéta-t-elle dans un murmure.

De nouveau, de grosses larmes se mirent à rouler sur leurs joues. Il n'y avait rien d'autre à dire. Elles restèrent un long moment assises dans le salon, blotties dans les bras l'une de l'autre, et pour la première fois depuis la naissance de Jamie, Liz se souvint qu'elle aimait sa mère et elle lui pardonna les horribles choses qu'elle avait dites à l'époque. D'une certaine manière, cette perte tragique les avait rapprochées, et de cela au moins, Liz se réjouissait.

— Merci, maman. Tu veux que je te fasse une tasse de thé ? demanda-t-elle enfin.

Elles se rendirent ensemble dans la cuisine, et pendant qu'elles buvaient leur thé, la mère de Liz lui demanda à nouveau si elle avait l'intention de vendre la maison. Liz sourit ; cette fois, la question ne la contrariait plus autant. Elle comprenait qu'elle exprimait seulement l'inquiétude de sa mère pour son avenir. En fait, Helen voulait avant tout être rassurée.

— Je ne sais pas ce que je vais faire, mais nous nous en sortirons, affirma Liz.

Au fil des ans, Jack et elle avaient mis de l'argent de côté et Jack laissait une assurance vie non négligeable. Et bien sûr, elle pourrait continuer à gagner sa vie grâce au cabinet. Pour l'instant, l'argent ne posait pas de véritable problème. Le plus dur allait être d'apprendre à vivre sans Jack.

— Je ne veux pas introduire de trop gros bouleversements dans la vie des enfants, expliqua-t-elle.

— Tu crois que tu te remarieras ?

Liz soupira.

— Je ne pense pas. Je n'arrive pas à concevoir de partager ma vie avec un autre homme, maman. (De nouveau, ses yeux s'embuèrent.) Je ne sais pas comment je vais faire pour vivre sans lui... avoua-t-elle.

— Tu n'as pas le choix. Tu dois tenir le coup, pour les enfants. Ils vont avoir plus que jamais besoin de toi. Peut-être que tu devrais fermer le cabinet pour le moment, arrêter de travailler quelque temps.

Cependant, Liz savait qu'elle ne pouvait se permettre un congé sabbatique. Tous leurs dossiers en cours reposaient entièrement sur elle à présent, à l'exception bien sûr de celui d'Amanda Parker. A l'évocation de cette dernière, le cœur de Liz se serra une nouvelle fois tandis qu'elle songeait à ses enfants et à ce qu'ils avaient enduré. Ils avaient perdu leur père et leur mère le même jour, dans des circonstances épouvantables. Dans l'après-midi, Liz avait appelé chez eux et parlé à la sœur d'Amanda. Elle lui avait dit combien elle pensait à elle ; elles avaient pleuré toutes les deux, et la famille Parker lui avait fait envoyer des fleurs.

— Je ne peux pas fermer le cabinet, maman. J'ai des responsabilités vis-à-vis de nos clients.

— C'est un trop lourd fardeau, Liz ! protesta sa mère en pleurant.

Tout à coup, Liz la comprenait mieux. Elle avait un cœur, en fin de compte ; simplement, la liaison entre ce dernier et sa bouche ne se faisait pas toujours très bien... Si bien qu'en dépit de ses bonnes intentions, elle se montrait régulièrement très maladroite.

— Je me débrouillerai.

— Tu veux que je reste ?

Liz secoua la tête. Si Helen demeurait avec eux, elle devrait s'occuper d'elle, et elle avait besoin de consacrer toute son énergie aux enfants.

— Je t'appellerai si j'ai besoin de toi, promis.

Les deux femmes s'étreignirent longuement les mains au-dessus de la table de la cuisine, puis elles montèrent se coucher. Victoria appela tard ce soir-là, pour prendre des nouvelles de son amie ; Liz répondit qu'elle allait bien, même si toutes deux savaient que c'était faux. Ensuite, elle demeura allongée dans son lit, incapable de dormir, et pleura jusqu'à près de six heures du matin.

Sa mère partit à l'heure prévue, et elle se retrouva seule avec les enfants, errant sans but dans la maison. Cet après-midi-là, Carole emmena tout le monde jouer au bowling, et même Peter se joignit aux autres, sans sa petite amie pour une fois. Liz resta à la maison pour examiner certains des papiers de Jack. Tout était méticuleusement classé, et elle trouva son testament et sa police d'assurance sans difficultés dans son bureau. Il n'y avait pas de désordre, pas de mauvaises surprises, rien qui fût susceptible de l'inquiéter, sinon la certitude terriblement angoissante qu'il n'était plus là, et qu'elle était seule pour le restant de ses jours. A cette pensée, la vague de panique désormais familière la submergea. Jamais elle n'aurait cru possible qu'il lui manquât autant. Elle passa le plus clair de l'après-midi en larmes, et quand les enfants revinrent, elle était épuisée.

Carole leur prépara à dîner ce soir-là : des hamburgers et des frites. Ils avaient jeté la dinde le soir de Noël sans même l'avoir goûtée ; personne ne voulait la regarder, et encore moins la manger. A neuf heures, tous les enfants montèrent dans leurs chambres. Les filles regardèrent un film en vidéo, et plus tard dans la nuit, Jamie se leva et vint rejoindre sa mère dans son lit, blottissant son petit corps tiède contre le sien. Pendant ce temps, Liz ne cessait de ressasser les mêmes pensées. La vie lui apparaissait comme une longue route vide s'étendant à perte de vue devant elle, semée d'embûches et de fardeaux auxquels elle aurait à faire face seule.

La semaine suivante passa lentement. Les vacances de Noël n'étaient pas terminées, si bien que les enfants restaient à la maison. Le dimanche, ils allèrent tous ensemble à l'église. Cela faisait dix jours que Jack était mort. Dix jours seulement, une poignée d'heures à peine. Liz avait toujours l'impression de vivre dans un cauchemar.

Le lundi matin, elle se leva et prépara le petit déjeuner des enfants. Peter partit en voiture au lycée, pendant qu'elle conduisait les filles à leur collège tout proche et Jamie à son école spécialisée. Cependant, le garçonnet hésita longuement avant de descendre de voiture. Enfin, serrant contre lui la toute nouvelle boîte à pique-nique à l'effigie des héros de *La Guerre des Etoiles* que Carole lui avait offerte pour Noël, il se tourna vers sa mère.

— Est-ce que je dois leur dire que papa est mort, à l'école ? demanda-t-il d'un air sombre.

— Tes professeurs sont au courant. Je les ai appelés pour le leur dire, et de toute façon je pense que tout le monde a appris la nouvelle par le journal, mon chéri. Dis-leur seulement que tu ne veux pas en parler, si tu préfères.

— Est-ce qu'ils savent que c'est un méchant monsieur qui lui a tiré dessus ?

— Je crois.

Elle avait expliqué au secrétariat de l'école que, s'il se sentait mal et souhaitait rentrer chez lui, il suffirait de les appeler, Carole ou elle, et qu'elles viendraient le chercher. Mais à l'instar de ses frère et sœurs, il semblait tenir le coup mieux qu'elle ne l'avait craint.

— Si tu veux me parler dans la journée, tu n'as qu'à le dire à ta maîtresse, et elle te laissera me téléphoner au bureau, lui dit néanmoins Liz.

— Est-ce que je pourrai rentrer à la maison ?

— Oui, mais tu sais, tu risques de te sentir un peu seul. Tu seras sans doute mieux à l'école avec tes amis. Essaie, et tu verras comment tu te sens au bout d'un moment, d'accord ?

Il hocha la tête et ouvrit la portière de la voiture. Au moment de descendre, cependant, il hésita et se tourna de nouveau vers sa mère.

— Et si quelqu'un te tire dessus au bureau, maman ? demanda-t-il, les yeux humides.

Au bord des larmes, elle aussi, Liz s'efforça de le rassurer.

— Ça n'arrivera pas, mon chéri. Je te le promets.

Tendant la main, elle lui caressa la joue avec tendresse. Mais comment pouvait-elle lui faire pareille promesse ? Comment pouvait-elle affirmer qu'ils seraient jamais en sécurité ? Qu'en savait-elle ? Si quelque chose d'aussi horrible avait pu arriver à Jack, chacun d'eux était vulnérable, ils l'avaient tous compris, même Jamie. Personne n'était en mesure de leur garantir une vie longue et paisible.

— Tout ira bien, tu verras. A ce soir, mon ange.

Il acquiesça en silence et descendit de voiture. Le cœur lourd, elle le regarda s'éloigner d'un pas lent vers la porte de l'école. Allaient-ils tous se sentir aussi mal pendant longtemps ? se demanda-t-elle. Etre heureux, rire de nouveau, faire du bruit, avoir le cœur en fête, tout cela paraissait utopique. Elle avait le sentiment qu'ils allaient porter ce fardeau à jamais. Elle, au moins. Les enfants se remettraient, ou du moins apprendraient à vivre sans leur père, même s'il leur manquerait toujours.

Sur le chemin du bureau, aveuglée par les larmes, l'anxiété et le chagrin, elle brûla deux feux rouges, et un policier l'obligea à se ranger sur le côté de la route.

— Vous avez vu le feu ? aboya-t-il lorsqu'elle descendit sa vitre.

Elle s'excusa entre deux sanglots. Il la considéra longuement, tout en prenant le permis de conduire qu'elle lui tendait. Il s'éloignait déjà vers sa voiture lorsqu'il se ravisa et revint vers elle : il avait reconnu son nom et avait fait le rapprochement avec le meurtre de Jack, dont il avait entendu parler au commissariat. Il lui rendit son permis avec un regard compatissant.

— Vous ne devriez pas prendre le volant, madame Sutherland. Où allez-vous ?

— Travailler.

Il hocha la tête.

— Je suis désolé, pour votre mari. Je vais vous accompagner, d'accord ? Quelle est l'adresse ?

Elle la lui donna et il remonta dans sa voiture de patrouille. Mettant le gyrophare, il la précéda et elle put ainsi le suivre jusqu'à son bureau. Elle pleurait toujours. La sollicitude des gens était presque plus dure à supporter que de l'indifférence… Néanmoins, elle devait reconnaître que le policier s'était montré incroyablement gentil envers elle, et une fois à destination elle lui serra la main avec reconnaissance.

— Pendant quelque temps, essayez de conduire le moins possible, lui conseilla-t-il. Vous pourriez avoir un accident, vous blesser ou blesser quelqu'un d'autre. Donnez-vous un peu de temps.

Il lui tapota le bras, et elle le remercia de nouveau avant de se diriger vers la porte du bureau, l'attaché-case de Jack à la main.

Elle n'était pas revenue depuis la mort de Jack, et elle appréhendait de se retrouver sur les lieux du drame, mais elle savait que Jane avait été très active la semaine précédente. Comme toujours, elle avait fait des miracles. La moquette tachée de sang avait été remplacée, le mur contre lequel Phillip Parker s'était suicidé avait été repeint ; il ne subsistait aucune trace du carnage. Jane sourit en la voyant entrer.

— Dites-moi, c'était bien un képi que j'ai aperçu dehors ? demanda-t-elle en arquant un sourcil intrigué.

Liz se moucha et lui rendit son sourire. Elle voulait remercier la secrétaire de tout ce qu'elle avait fait pour remettre le bureau en état, mais ne se sentait pas la force d'aborder le sujet. Jane, comprenant aisément ce qui se passait dans sa tête, lui tendit sans un mot une tasse de café fumante.

— J'ai brûlé deux feux en venant. Ce policier s'est montré très compréhensif et m'a escortée jusqu'à la porte. Il m'a dit d'éviter de prendre le volant pendant quelque temps.

— Ce ne serait pas une mauvaise idée, observa Jane d'un air inquiet.

— Et que faut-il que je fasse ? Que j'engage un chauffeur ? Je suis bien obligée de venir travailler !

— Prenez un taxi, suggéra Jane.

— C'est idiot.

— Moins que de vous tuer ou de tuer quelqu'un. Voilà qui serait *vraiment* idiot, vous ne pensez pas ?

— Tout va bien, assura Liz d'un ton peu convaincant.

Jane avait annulé autant de convocations au tribunal que possible. Seules deux ne pouvaient être reportées, mais elles ne devaient avoir lieu que plus tard dans la semaine. Liz avait besoin de temps pour parcourir tous les dossiers.

Cet après-midi-là, elle dicta à Jane une lettre expliquant les circonstances de la mort de Jack à tous leurs clients. La plupart devaient déjà être au courant : l'assassinat avait fait la une de l'actualité durant tout le week-end de Noël, mais certains étaient partis en vacances et risquaient de ne pas avoir appris la nouvelle. Elle expliqua que, désormais, elle exercerait seule, et comprendrait que certains clients préfèrent partir. Elle continuerait à travailler et ferait de son mieux pour que tous soient satisfaits de ses services. A ceux qui avaient envoyé des fleurs ou des lettres d'encouragements, elle adressait de sincères remerciements.

La lettre était directe et franche, et Jane et elle estimaient toutes deux que la plupart des clients lui conserveraient leur confiance. Mais, si c'était flatteur, cela signifiait aussi que sa charge de travail serait colossale. En dépit de ce qu'elle avait affirmé à sa mère la semaine précédente, elle commençait à se demander si elle pourrait y faire face. Seule, ce serait l'enfer. Non seulement elle allait devoir assumer le travail de Jack en plus du sien, mais il lui faudrait se passer du soutien de son mari, de ses idées, de sa présence réconfortante, de son énergie.

— Vous croyez que je peux y arriver ? demanda-t-elle à Jane en milieu d'après-midi, d'un air déprimé et anxieux.

Tout paraissait exiger dix fois plus de temps et d'efforts qu'autrefois, et elle se sentait épuisée.

— Bien sûr !

Jane savait que Liz était tout aussi bonne dans son travail que Jack.

En ce moment cependant, sans lui, Liz avait l'impression de représenter moins de la moitié de l'équipe. C'était comme s'il avait emporté avec lui une partie du courage de Liz et de sa confiance en elle, et elle l'avoua à Jane.

— Vous vous en sortirez très bien, affirma de nouveau cette dernière. Et je ferai de mon mieux pour vous aider.

— Je sais, Jane. Vous avez déjà fait énormément.

Elle jeta un coup d'œil à la moquette toute neuve, avant de lever un regard embué de larmes vers la secrétaire. Elle ne se souvenait que trop bien de la scène qui l'avait accueillie le matin de Noël.

— Merci, murmura-t-elle avant de se diriger vers le bureau de son mari.

Elle parcourut encore quelques dossiers, mais se força à s'en aller à dix-sept heures trente. Elle ne voulait pas rentrer à la maison trop tard, à cause des enfants, même si elle savait qu'elle aurait pu rester au bureau tous les soirs jusqu'à minuit pendant un mois sans venir à bout de sa charge de travail. Elle emporta son attaché-case, plein à ras bord de dossiers qu'elle avait l'intention de lire d'ici au lendemain matin. Il lui faudrait également préparer ses deux interventions devant la cour.

La maison était étrangement silencieuse quand elle entra, et elle se demanda s'il y avait quelqu'un, mais elle trouva Jamie assis calmement dans la cuisine avec Carole. Cette dernière venait de lui préparer des biscuits au chocolat et il en dégustait un dans le silence le plus complet. Il n'adressa même pas un mot à sa mère lorsqu'elle entra dans la pièce et lui sourit.

— Comment s'est passée ta journée, mon chéri ?

— C'était horrible, répondit-il avec franchise. La maîtresse s'est mise à pleurer quand elle a dit qu'elle était désolée, pour papa.

Liz hocha la tête. Elle ne savait que trop bien ce qu'il avait dû éprouver. Elle-même avait éclaté en sanglots en écoutant les condoléances du jeune homme qui lui avait livré un sandwich à l'heure du déjeuner, du pharmacien chez qui elle s'était arrêtée sur le chemin du retour, et de deux autres personnes croisées par hasard. Elle songeait parfois qu'elle aurait eu moins de mal à supporter des agressions que cette sollicitude omniprésente. De même, les innombrables lettres de condoléances arrivées à son bureau lui avaient brisé le cœur ; et un autre monceau de courrier l'attendait sur le comptoir de la cuisine. Tout cela partait d'un bon sentiment, mais la compassion et la tristesse des gens étaient difficiles à supporter.

— Comment vont les autres ? s'enquit Liz en posant l'attaché-case par terre.

— Pourquoi est-ce que tu as rapporté le cartable de papa ? demanda Jamie en mordant dans un autre cookie.

— Parce que je dois lire certains de ses papiers.

Jamie hocha la tête, satisfait de cette explication, avant de lui annoncer que Rachel pleurait dans sa chambre, mais que Megan et Annie étaient au téléphone et que Peter n'était pas encore rentré.

— Il m'a dit qu'il m'apprendrait à faire du vélo, mais il ne l'a pas fait, ajouta tristement le garçonnet.

A vrai dire, sa nouvelle bicyclette avait été quasiment oubliée au cours des derniers jours.

— Peut-être qu'il pourra t'apprendre ce soir ?

Jamie secoua la tête et reposa son biscuit à peine entamé sur l'assiette.

— Je n'ai plus envie, maintenant.

— Je comprends, dit-elle avec douceur en s'agenouillant près de lui pour l'embrasser.

Au même instant, Peter entra dans la pièce, une expression tourmentée sur le visage.

— Bonsoir, mon grand.

Elle n'osa pas lui demander comment s'était passée sa journée : elle le lisait sur ses traits. Il paraissait avoir vieilli de cinq ans au cours de la semaine écoulée. C'était un sentiment familier ; elle-même se sentait infiniment plus âgée et plus lasse que la nuit de Noël. Elle avait à peine dormi et mangé depuis la mort de Jack, et cela se voyait.

— J'ai quelque chose à te dire, maman.

— Pourquoi ai-je l'impression que tu ne vas pas m'annoncer une bonne nouvelle ? demanda-t-elle dans un soupir en s'asseyant sur un tabouret et en portant à ses lèvres le biscuit abandonné par Jamie.

Son déjeuner était resté intact sur son bureau tout l'après-midi.

— J'ai eu un accident en rentrant de l'école.

— Quelqu'un a-t-il été blessé ?

Elle avait posé la question avec calme ; depuis une semaine, elle était comme anesthésiée.

— Non, seule la voiture a été touchée. J'ai heurté un véhicule garé sur le parking et l'aile droite est un peu abîmée.

— As-tu laissé un mot au propriétaire de l'autre voiture ?

Il hocha la tête.

— Oui, même si elle n'avait rien. Je suis désolé, maman.

— Ce n'est pas grave, mon chéri. J'ai brûlé deux feux rouges en allant au bureau ce matin, si ça peut te consoler. Le policier qui m'a arrêtée a dit que je ne devrais pas conduire. Peut-être que toi non plus, pendant quelque temps.

— Mais sans voiture, je ne peux aller nulle part, objecta-t-il.

— Je sais, moi non plus. Il faudra simplement que nous fassions très attention.

Peter conduisait un vieux break Volvo que Jack lui avait acheté parce qu'il était sûr et solide, et à présent Liz s'en réjouissait. Elle-même avait une voiture du même type mais plus récente. Quant à Carole, elle avait son propre véhicule, une Ford datant de plus de dix ans mais qu'elle entretenait avec amour. Elle lui suffisait largement pour aller chercher les enfants à l'école et faire les courses. Quant à la Lexus toute neuve que Jack s'était offerte cette année-là, Liz n'avait pas encore eu le courage de la conduire ou de la mettre en vente. Peut-être se contenteraient-ils de la garder. Elle ne supportait pas l'idée de se débarrasser des affaires de Jack. Elle avait déjà passé plusieurs nuits à serrer ses vêtements contre elle, respirant l'odeur familière de son after-shave sur ses costumes. Elle éprouvait encore le besoin de conserver près d'elle tout ce qui avait appartenu à son mari. Plusieurs personnes lui avaient conseillé de tout donner ou vendre le plus vite possible, mais elle ne s'en sentait pas capable.

Les filles ne tardèrent pas à descendre pour le dîner, et tous s'assirent tristement autour de la table de la cuisine. Pendant plus de la moitié du repas, personne ne dit un mot. Ils avaient l'impression d'être les survivants d'un naufrage ; désormais, le seul fait d'affronter chaque journée leur coûtait, surtout maintenant qu'ils avaient recommencé à aller à l'école et au bureau.

— Est-ce que je peux vous demander comment s'est passée votre première journée d'école ? s'enquit enfin Liz, avec un coup d'œil consterné aux assiettes à peine entamées des enfants.

Seul Peter s'était efforcé d'avaler quelque chose, mais même lui qui d'ordinaire dévorait avec appétit n'avait pas terminé son repas.

— C'était affreux, répondit Rachel la première.

Annie hocha vivement la tête.

— Tout le monde n'arrêtait pas de demander ce qui s'était passé exactement, si nous l'avions vu après, si nous avions pleuré à l'enterrement... Un cauchemar, expliqua Megan.

Tous soupirèrent en signe d'acquiescement.

— Cela part sûrement d'un bon sentiment, dit Liz. Les gens sont curieux et ne savent pas quoi nous dire, c'est tout. Il faut tenir le coup en attendant que ça passe.

— Je ne veux pas retourner à l'école, décréta Jamie avec fermeté.

Liz s'apprêtait à lui répondre qu'il n'avait pas le choix, mais elle se ravisa. S'il éprouvait le besoin de rester quelque temps à la maison, après tout, quelle différence cela faisait-il ?

— Peut-être pourrais-tu tenir compagnie à Carole quelques jours ? suggéra-t-elle.

Aussitôt, Rachel leva vers elle un regard plein d'espoir.

— Est-ce que je peux rester aussi ?

— Et moi ? renchérit Annie.

— Je pense que vous devriez essayer de vous lancer à fond dans le travail pour tenter d'aller mieux. Jamie essaiera de nouveau la semaine prochaine.

Peter n'avoua pas qu'il avait séché ses deux derniers cours de la journée, pour se réfugier seul dans le gymnase du lycée. Lui non plus ne pouvait supporter davantage la curiosité et la sollicitude de ses camarades. Le professeur d'éducation physique l'avait trouvé là et ils avaient longuement parlé ; il avait également perdu son père quand il avait l'âge de Peter, et ils avaient échangé leurs impressions. Cette conversation avait un peu aidé le jeune homme, même si elle n'avait pu atténuer sa douleur.

— Nous savons que ce ne sera pas facile, observa Liz avec un soupir. Mais c'est ce qu'a décidé la vie pour l'instant. Nous devons essayer de nous en tirer de notre mieux, pour papa — il aurait voulu que nous nous en sortions. Et un jour, ça ira mieux.

— Quand ? demanda Annie d'un ton désespéré. Combien de temps encore est-ce que nous nous sentirons aussi mal ? Toute notre vie ?

— Je sais que c'est l'impression que nous avons tous en ce moment... Je ne peux pas te répondre, répondit Liz avec honnêteté. Combien de temps dure la douleur ? Longtemps, parfois, mais pas éternellement.

Du moins était-ce ce qu'elle aurait aimé croire…

Tous remontèrent à l'étage. Jamais la maison n'avait été aussi calme. Chacun se réfugia dans sa chambre, porte close ; pour une fois, on n'entendait ni musique tonitruante, ni sonneries incessantes de téléphone. Liz alla embrasser tout le monde, Peter y compris, et ils restèrent un long moment dans les bras l'un de l'autre en silence. Il n'y avait plus rien à dire ; ils ne pouvaient plus que survivre, désormais.

Cette nuit-là, de nouveau, Jamie vint rejoindre Liz dans son lit. Elle ne l'encouragea pas à retourner dans sa chambre. Sa présence près d'elle lui faisait du bien, même si elle ne pouvait s'empêcher de penser à Jack. Il lui manquait atrocement, et elle continuait à se demander comment elle allait faire pour s'en sortir. Pour l'instant, aucune réponse ne lui venait. Il ne restait plus de joie dans leur vie, seulement la souffrance intolérable de sa mort, le trou béant qu'il laissait derrière lui.

4

La Saint-Valentin arriva. Jack était mort depuis sept semaines, et les enfants commençaient à se sentir un peu mieux. Liz avait parlé avec la psychologue de l'école des filles, qui lui avait expliqué qu'entre la sixième et la huitième semaine, les enfants passeraient un cap et retrouveraient en partie leur joie de vivre. Ils s'adapteraient à la situation, et pendant quelque temps Liz, elle, se sentirait encore plus mal, car elle prendrait pleinement conscience de la réalité de son deuil.

Et tandis qu'elle pénétrait dans son bureau, le matin du 14 février, Liz comprit ce que la psychologue avait voulu dire. Jack avait toujours tenu à célébrer les fêtes selon la tradition : il lui achetait systématiquement des roses et un cadeau pour la Saint-Valentin. Mais cette année, tout était différent. Ce jour-là, elle devait aller au tribunal à deux reprises, chose qu'elle trouvait de plus en plus difficile. L'animosité de ses clients vis-à-vis de leurs conjoints lui paraissait excessive, et les petits jeux cruels auxquels ils se livraient pour se venger — ou auxquels ils lui demandaient de se livrer à leur place — lui semblaient absurdes. Elle commençait à détester le cabinet et en venait à se demander pourquoi elle avait laissé Jack la convaincre de se spécialiser en droit familial.

Elle s'en était ouverte à Victoria lors de leur dernière conversation. Les jeunes femmes avaient du mal à se voir, car toutes deux étaient très occupées durant la journée, mais elles parvenaient tout de même à s'appeler régulièrement, tard le soir.

— Quel autre domaine préférerais-tu ? avait demandé Victoria. Quand j'étais dans la responsabilité civile, tu me disais toujours que tu détestais ça, et je ne te vois pas faire du pénal.

— Il existe d'autres spécialités. Je ne sais pas, peut-être quelque chose en rapport avec les enfants. Tous mes clients ne pensent qu'à une chose : se faire des crasses. Ils en oublient leurs enfants.

La protection de l'enfance était un domaine qui l'avait toujours attirée, mais Jack lui avait vite répondu que cela ne rapportait guère. Ce n'était pas un homme intéressé, mais il avait le sens pratique, et ils avaient cinq enfants à nourrir. Les divorces rapportaient bien ; ils ne pouvaient se permettre d'ignorer cet aspect des choses.

Tandis qu'elle quittait le tribunal, cet après-midi-là, après avoir obtenu une petite victoire pour une de ses clientes, Liz songeait une fois encore qu'elle détestait ce qu'elle était obligée de faire. Elle s'était laissé convaincre de déposer une plainte contre l'ex-mari de sa cliente, davantage pour causer des ennuis à celui-ci que pour de véritables raisons légales. Et le juge, bien qu'il eût accepté la plainte, n'avait pas manqué de lui faire remarquer qu'elle manquait de fondement, si bien que cette victoire lui paraissait particulièrement creuse, et qu'elle se sentait idiote.

— Vous avez perdu ? lui demanda Jane lorsqu'elle pénétra dans le cabinet.

Liz avait l'air fatiguée et contrariée. D'un geste irrité, elle prit ses messages avant de se diriger vers son bureau.

— Non. Nous avons gagné. Mais le juge a estimé la plainte futile, et il avait raison. Je ne sais pas pourquoi je me suis laissé convaincre de la déposer. Elle n'a fait ça que pour l'embêter. Jack aurait tapé du poing sur la table.

Mais Jack n'était plus là pour discuter des dossiers et pour rappeler aux clients les limites à ne pas dépasser. Travailler avec lui avait été à la fois amusant et excitant, mais maintenant elle avait l'impression que le cabinet était une corvée, et elle n'était pas certaine d'agir dans le meilleur intérêt de leur clientèle.

— Peut-être que ma mère avait raison, et que je devrais fermer le cabinet.

— Je ne pense pas, répondit Jane d'un ton calme, à moins que vous n'en ayez réellement envie.

Elle savait que Liz avait reçu l'argent de l'assurance-vie de Jack la semaine précédente et qu'elle pouvait se permettre d'arrêter de travailler quelque temps pour décider de ce qu'elle avait vraiment envie de faire, mais elle craignait qu'elle ne se sente trop mal, seule chez elle toute la journée, à ressasser son chagrin.

— Donnez-vous un peu de temps, et peut-être que vous retrouverez le plaisir d'exercer, Liz. Et il serait peut-être salutaire de vous montrer plus ferme envers vos clients ou plus sélective avant d'accepter de nouveaux dossiers.

— Oui. Peut-être, reconnut Liz d'un air dubitatif.

Elle quitta le bureau tôt, cet après-midi-là, sans dire à quiconque où elle allait. Il y avait quelque chose qu'elle souhaitait faire, et pour cela il lui fallait être seule.

Elle s'arrêta pour acheter une douzaine de roses, puis elle se dirigea vers le cimetière et demeura très longtemps au pied de la tombe de Jack. La pierre tombale n'était pas encore en place, et elle déposa les roses sur l'herbe avant d'éclater en sanglots. Elle pleura près d'une heure, debout, immobile.

— Je t'aime, murmura-t-elle enfin avant de s'éloigner dans le vent glacial, la tête baissée, les mains enfouies dans les poches.

Elle ne cessa de pleurer sur le chemin du retour, et était à quelques centaines de mètres à peine de chez elle lorsqu'elle brûla un stop sans s'en apercevoir. Au même instant, une jeune femme quittait le trottoir en courant pour traverser ; la Volvo la heurta à la hanche, et elle s'effondra à terre, une expression vaguement abasourdie sur le visage. Déjà, Liz avait pilé et se précipitait hors de la voiture pour lui porter secours. Des larmes roulaient toujours sur ses joues lorsqu'elle l'aida à se relever. Trois voitures s'étaient immobilisées, et leurs conducteurs avaient baissé leurs vitres.

— Vous êtes folle ou ivre ? J'ai vu ce qui s'est passé ! cria l'un.

— Vous l'avez heurtée ! Je suis témoin. Ça va, madame ? renchérit un autre, s'adressant à la victime.

Les deux femmes étaient debout, tremblantes, devant la voiture de Liz. Cette dernière pleurait toujours.

— Je suis tellement désolée... Je ne sais pas ce qui s'est passé. Je n'ai pas vu le stop, dit-elle à la jeune femme.

En vérité, cependant, elle savait pertinemment ce qui s'était passé. Elle avait été tellement bouleversée par sa visite au cimetière qu'elle avait conduit imprudemment, et en conséquence, avait heurté la malheureuse qui voulait seulement traverser la rue et en avait parfaitement le droit. Liz était entièrement responsable.

— Je vais bien, ne vous inquiétez pas... Vous m'avez à peine effleurée, la rassura la victime.

— J'aurais pu vous tuer, s'écria Liz, horrifiée.

Elles s'étaient pris la main comme pour se réconforter l'une l'autre, et la jeune femme, regardant Liz, comprit que celle-ci était en état de choc.

— Ça va ? demanda-t-elle.

Liz hocha la tête, à peine capable de parler, désespérément désolée de ce qui s'était produit et effrayée par ce qui aurait pu se passer.

— Je suis désolée... Mon mari vient de mourir... Et je reviens du cimetière... Je n'aurais pas dû prendre le volant.

— Nous devrions nous asseoir.

Elles s'installèrent toutes deux dans la voiture de Liz, qui proposa à la jeune femme de l'accompagner à l'hôpital. Mais celle-ci affirma qu'elle allait bien et dit à Liz qu'elle était désolée, pour son mari. Liz lui paraissait bien plus à plaindre qu'elle.

— Vous êtes sûre que vous ne voulez pas aller chez le médecin ? demanda de nouveau l'avocate.

La jeune femme sourit, heureuse de s'en être tirée à si bon compte.

— Je vais bien. Au pire, j'aurai un bleu. Nous avons eu toutes les deux de la chance... Moi, en tout cas.

Elles restèrent assises un petit moment, échangèrent leurs coordonnées, et quelques minutes plus tard la jeune femme prit congé et poursuivit son chemin. Liz rentra chez elle, toujours tremblante. Elle appela aussitôt Victoria pour lui raconter ce qui s'était passé, sachant que son amie avait été spécialisée dans les questions de responsabilité civile. Victoria émit un petit sifflement lorsqu'elle lui décrivit l'accident.

— Si elle est aussi gentille que tu le dis — mais hélas, mon expérience m'a prouvé que c'était rarement le cas —, tu as une chance folle. Tu ferais bien de cesser de conduire quelque temps, Liz, avant de tuer quelqu'un.

— Je commençais à aller mieux... C'est juste aujourd'hui... Pour la Saint-Valentin, je suis allée au cimetière...

Elle s'interrompit, étranglée par ses sanglots.

— Je comprends, j'imagine ce que tu ressens.

Mais elle ne pouvait pas réellement comprendre, Liz le savait. Il fallait être passé par ce qu'elle vivait actuellement pour saisir toute l'ampleur du cauchemar. Elle se rendait compte que toutes les fois où elle avait présenté ses condoléances à quelqu'un en affirmant partager sa peine, elle avait en vérité été très loin de ce qu'il éprouvait réellement, de la profondeur de son désarroi.

Ce soir-là, elle parla aux enfants de l'accident, et ils en furent effrayés. Ils s'inquiétaient pour elle. Néanmoins, lorsqu'elle rappela la jeune femme pour prendre de ses nouvelles, celle-ci affirma de nouveau qu'elle allait bien, et le lendemain matin elle envoya des fleurs au bureau de Liz, qui fut stupéfiée par ce geste. La carte qui les accompagnait disait : « Ne vous inquiétez pas, tout ira bien pour nous deux. » Liz appela aussitôt Victoria.

— Tu es tombée sur un ange ! s'exclama celle-ci, incrédule. Tous mes clients t'auraient poursuivie pour choc affectif, lésions cérébrales et blessures à la colonne vertébrale, et je leur aurais obtenu au moins dix millions de dollars.

— Dieu merci, tu as pris ta retraite ! s'exclama Liz en souriant pour la première fois depuis l'accident.

— Tu as une chance folle. Maintenant, vas-tu enfin te résoudre à laisser ta voiture au garage quelque temps ? demanda Victoria, sincèrement inquiète pour elle.

— Je ne peux pas. J'ai trop de choses à faire.

— En tout cas, tu as intérêt à être prudente. Considère cet incident comme un avertissement.

— Promis.

De fait, elle se montra dès lors extrêmement circonspecte. Elle comprenait enfin à quel point elle était déconnectée de la réalité depuis la mort de Jack, et elle décida de faire un effort supplémentaire pour se montrer un peu plus gaie, en particulier en présence des enfants. Au cours du mois suivant, elle les emmena au cinéma, alla au bowling avec eux, les encouragea à inviter leurs amis. Quand la Saint-

Patrick — une autre des fêtes préférées de Jack — arriva, ils n'étaient évidemment pas euphoriques, mais ils se sentaient tous un peu mieux. Trois mois s'étaient écoulés depuis la mort de leur père, et même Jamie paraissait un peu plus heureux. Des rires fusaient parfois autour de la table, ils écoutaient leur musique plus fort que jamais, et même si, parfois, leurs visages étaient encore trop sérieux, Liz savait que, pour eux, le plus dur était passé. Ses nuits à elle, hélas, étaient encore bien sombres, longues et solitaires, et ses journées de bureau stressantes et pénibles.

Pour le week-end de Pâques, elle surprit tout le monde. Elle ne pouvait supporter l'idée d'un autre jour de fête lugubre, peuplé de souvenirs de Jack et passé à errer dans la maison comme une âme en peine. Elle emmena donc toute la famille skier au lac Tahoe, et les enfants furent ravis. Ils étaient soulagés de la voir retourner dans le monde des vivants, et heureux qu'elle rie, participe à leurs jeux et s'amuse avec eux. Tous passèrent un merveilleux week-end.

Sur le chemin du retour, ils parlèrent de leurs vacances d'été.

— Mais c'est dans des mois, maman ! protesta Annie.

Elle avait craqué pour un garçon qui habitait près de chez eux et ne voulait même pas envisager de s'éloigner de lui l'été suivant. Peter avait déjà trouvé un petit boulot dans un hôpital vétérinaire de la région. Ce n'était pas un domaine dans lequel il envisageait de faire carrière, mais au moins il serait occupé et gagnerait un peu d'argent. Liz n'avait plus qu'à s'occuper des trois filles et de Jamie.

— Je ne pourrai prendre qu'une semaine, cette année, expliqua-t-elle, j'ai trop de travail, maintenant que je suis toute seule, pour m'absenter plus longtemps. Que diriez-vous d'aller en camp de vacances pendant un mois, toutes les trois ? Jamie pourra rester à la maison avec moi et aller dans un centre aéré pendant la journée.

— Est-ce que je pourrai emporter mon propre déjeuner ? demanda le garçonnet d'un air inquiet.

Liz lui sourit. La dernière fois qu'il avait passé les vacances dans un centre aéré, il avait détesté la nourriture qu'on lui avait servie, mais adoré les activités et les autres enfants, et elle pensait que cela lui ferait du bien de renouveler l'expérience. En raison de son handicap, il ne pouvait aller dans un camp comme ses sœurs.

— Oui, tu pourras emporter un pique-nique, lui promit-elle.

Il esquissa un large sourire.

— Alors je veux bien.

Bon. En voilà deux de réglé. Plus que trois, songea Liz. Les filles discutèrent avec véhémence jusqu'à Sacramento, pour finalement décider qu'aller dans un camp de vacances ne serait pas trop affreux, après tout. Elles acceptèrent d'y passer le mois de juillet, et Liz s'engagea à emmener tout le monde au lac Tahoe une semaine en août, après quoi les enfants pourraient rester à la maison et inviter des amis à profiter de la piscine avec eux.

— Allons-nous organiser un pique-nique pour le 4 juillet[1], cette année ?

1. Date de la fête nationale américaine. (*N.d.T.*)

C'était une tradition dans la famille, instaurée par Jack. Il préparait le barbecue, s'occupait du bar et était partout à la fois... A ce souvenir, le cœur de Liz se serra douloureusement. Il y eut un long silence, puis elle secoua lentement la tête. Personne ne discuta, et quand elle jeta un coup d'œil à Jamie dans le rétroviseur, elle vit deux grosses larmes rouler sur ses joues.

— Tu es triste à cause du pique-nique ? demanda-t-elle avec douceur.

Il fit non de la tête. Il y avait plus grave, beaucoup plus grave.

— Je viens juste de me souvenir. Maintenant, je ne vais plus pouvoir participer aux Jeux Olympiques Spéciaux.

C'était un événement qu'il adorait, et pour lequel il se préparait chaque année avec Jack. Ils s'entraînaient pendant des mois, et bien que Jamie arrivât généralement dans les derniers aux épreuves auxquelles il participait, il remportait toujours un ruban quelconque, et toute la famille allait l'encourager.

— Pourquoi ?

Liz refusait de baisser les bras. Elle savait ce que ces olympiades avaient représenté pour Jack et Jamie.

— Peut-être Peter pourra-t-il t'entraîner.

— Impossible, maman, intervint l'intéressé d'un air désolé. Je travaillerai à la clinique vétérinaire de huit heures du matin à huit heures du soir, et je serai même de garde certains week-ends. Je n'aurai pas le temps.

Il avait accepté cet emploi parce qu'il était très bien payé, mais il savait qu'il devrait entièrement sacrifier ses vacances.

Il y eut une longue pause. Les larmes continuaient à rouler en silence sur les joues du petit Jamie ; Liz avait l'impression qu'on lui arrachait le cœur.

— Très bien, Jamie, dit-elle enfin d'un ton calme, il ne reste donc plus que toi et moi. Nous allons devoir nous y mettre ensemble. Nous déciderons des compétitions auxquelles tu participeras, et nous travaillerons comme des bêtes. Et cette année, ajouta-t-elle, luttant contre ses propres larmes, je crois que nous devrions viser une médaille d'or.

A ces mots, Jamie ouvrit de grands yeux.

— Sans papa ? demanda-t-il avec incrédulité.

— Mais avec moi. Qu'en dis-tu ?

— Tu ne peux pas, maman. Tu ne sais pas faire.

— Pas encore, mais j'apprendrai. Tu me montreras comment faisait papa. Et nous gagnerons quelque chose, je te le promets.

Un sourire timide s'épanouit sur les traits de Jamie, et sans un mot de plus il tendit la main pour lui caresser le bras. Ils avaient résolu le problème. Et l'été était organisé. Elle n'avait plus qu'à inscrire les filles au camp et Jamie au centre aéré et aux Jeux Olympiques Spéciaux, et à louer des chambres ou une maison au lac Tahoe pour la première semaine d'août. Il n'était pas facile pour elle d'anticiper les besoins et les désirs de ses enfants et de les satisfaire seule, mais pour l'instant elle ne s'en sortait pas trop mal. Ils travaillaient tous plutôt bien à l'école, ils souriaient assez souvent, ils avaient passé un très bon moment à skier tous ensemble, et il ne lui restait plus qu'à tenir ainsi jusqu'à ce qu'ils soient tous adultes. Entre-temps, il lui faudrait continuer à assumer le travail de deux personnes au cabinet, entraîner Jamie pour ses compétitions, et si possible lui permettre de remporter un ruban. Elle se sentait un peu comme une jongleuse au cirque…

Ils approchaient de San Francisco, et Megan mit la radio à fond. Son père l'aurait réprimandée et obligée à éteindre ce vacarme, mais Liz ne dit rien. Elle savait que le désir de sa fille de se perdre dans la musique était plutôt bon signe, et tous les bons signes étaient appréciables. Ils n'avaient été que trop rares, au cours des trois derniers mois.

Liz jeta un petit coup d'œil complice à Megan et monta elle-même le volume de la radio d'un cran.

— Ouais, maman… Fonce !

Ils se mirent tous à rire, à plaisanter et à chanter. Le bruit était assourdissant, mais c'était exactement ce dont ils avaient besoin.

— Je vous adore, tous les cinq ! cria Liz au-dessus du brouhaha général.

— Nous aussi, m'man ! hurlèrent-ils à l'unisson.

Lorsqu'ils arrivèrent à la maison, ils avaient les oreilles qui bourdonnaient, mais ils souriaient tous, Liz y compris.

Carole les attendait à la porte.

— Alors, c'était comment ? demanda-t-elle.

Pour la première fois depuis des mois, Liz lui sourit d'un air paisible.

— Super ! répondit-elle simplement avant de monter poser ses affaires dans sa chambre.

5

La fin des cours eut lieu durant la deuxième semaine de juin. Deux semaines plus tard, Liz et Carole préparèrent les affaires des filles, en prévision de leur départ pour le camp. Toutes trois étaient très excitées par ces vacances, d'autant que plusieurs de leurs camarades devaient participer au même camp, près de Monterey. Les voir si heureuses était bien agréable, et Liz les conduisit jusqu'à destination, emmenant Jamie avec elle.

Il y avait une véritable atmosphère de vacances dans la voiture. Ils écoutèrent plusieurs CD, tous bruyants, sauvages et agressifs. Ce n'était pas le genre de musique que Liz affectionnait d'ordinaire, mais cela ne la dérangeait pas. Ces derniers temps, elle appréciait vraiment la compagnie de ses enfants. Elle avait promis à Jamie de commencer l'entraînement pour les olympiades aussitôt après le départ des filles. Il leur restait cinq semaines avant le début des compétitions ; d'ici là, les filles seraient de retour, et toute la famille pourrait aller le soutenir le jour J. C'était une tradition inaugurée par Jack trois ans plus tôt, et à laquelle ils tenaient tous. Malgré tout,

Jamie craignait toujours que sa mère ne se révèle incapable de le préparer correctement.

Ils déposèrent les filles au camp, entre Carmel et Monterey, et Liz les aida à installer leurs affaires — sacs de couchage, raquettes de tennis, valises, guitare, etc. — dans leurs tentes. Surexcitées, c'est à peine si elles prirent le temps d'embrasser leur mère et leur petit frère avant de courir rejoindre leurs amies et les moniteurs.

— Peut-être qu'un jour toi aussi tu pourras participer à un camp, dit Liz à Jamie tandis qu'ils s'éloignaient.

— Je n'en ai pas envie, rétorqua-t-il d'un ton indifférent. Je préfère être à la maison avec toi.

Ils échangèrent un sourire, puis Liz prit la direction de l'autoroute. Il leur fallut trois heures pour rejoindre Tiburon, et quand ils pénétrèrent dans la maison, Peter venait juste de rentrer de son travail. Il avait commencé la semaine précédente et se plaisait beaucoup à la clinique vétérinaire, en dépit des horaires astreignants. Cet emploi correspondait exactement à ce qu'il en attendait. Deux autres élèves du lycée — dont une très jolie jeune fille originaire de Mill Valley — et un étudiant de l'école vétérinaire de Davis travaillaient avec lui.

— Bonne journée ? lui demanda Liz en pénétrant dans la cuisine, Jamie sur ses talons.

— Active ! répondit-il en souriant à sa mère.

— Et si nous dînions ?

Depuis Pâques, elle avait recommencé à cuisiner et prenait plaisir à préparer le repas pour ses enfants. Avant, c'était surtout Carole qui s'en chargeait.

Helen l'appelait régulièrement pour prendre des nouvelles, mais elle avait quasiment cessé de lui prédire le pire ; en vérité, tous avaient le sentiment de pouvoir s'en sortir, finalement. En dépit de son énorme charge de travail au cabinet, Liz arrivait à faire face : elle avait pu clore tous les dossiers de Jack, sans cesser de s'occuper de ses propres clients. Les enfants étaient en forme. L'été commençait plutôt bien. Et même si Jack lui manquait toujours horriblement, elle parvenait à tenir le coup, le jour et même la nuit, désormais. Elle ne dormait pas aussi bien qu'autrefois, bien sûr, mais réussissait tout de même à trouver le sommeil vers deux heures du matin au lieu de cinq heures, et la plupart du temps, elle était d'humeur à peu près égale, même si elle connaissait des moments de découragement et de dépression intenses. Maintenant, au moins, les jours de déprime étaient moins nombreux que les autres.

Ce soir-là, elle prépara des pâtes et de la salade pour tous les trois, et pour le dessert Jamie l'aida à confectionner des coupes glacées, qu'il couronna de crème Chantilly, de noix pilées et de cerises confites.

— Comme au restaurant ! annonça-t-il fièrement en les servant.

— Est-ce que vous avez commencé à vous entraîner pour les Jeux Olympiques, maman et toi ? demanda Peter avec intérêt en s'attaquant à sa glace.

— Demain, répondit Liz.

— A quelles épreuves as-tu l'intention de participer cette année ? demanda encore le jeune homme.

Il s'adressait désormais à Jamie davantage comme un père que comme un grand frère. Malgré tout ce qui s'était produit, il avait réussi à finir l'année scolaire avec des notes correctes, tout en aidant de son mieux sa mère. A la rentrée, il serait en terminale, et dès septembre Liz et lui comptaient aller voir des universités pour choisir celle où il poursuivrait ses études. Il avait déclaré son intention de rester de préférence sur la côte Ouest. Avant la mort de son père, il avait rêvé de Princeton, Yale ou Harvard, mais désormais il ne souhaitait plus trop s'éloigner de sa famille, et il envisageait plutôt d'étudier à Berkeley, à Stanford ou à UCLA.

— Je vais essayer le saut en longueur, le cent mètres... et la course en sac, annonça Jamie avec fierté. Je voulais aussi faire le lancer d'œufs, mais maman dit que je suis trop grand, maintenant.

— Ça m'a l'air bien, tout ça. Je parie que tu vas gagner un autre ruban, dit Peter, un sourire chaleureux aux lèvres.

Liz les regardait avec satisfaction. C'étaient deux garçons très attachants, et elle était contente de les avoir près d'elle. Elle appréciait leur compagnie, et maintenant que les filles étaient parties, elle pouvait davantage se consacrer à eux.

— Maman pense que cette fois j'aurai la première place, déclara Jamie d'un ton peu convaincu.

Il se demandait encore si sa mère se montrerait à la hauteur en tant qu'entraîneur. Il avait l'habitude de travailler avec son père.

— Je suis prêt à parier qu'elle a raison, affirma Peter en se resservant de glace, après en avoir donné à son petit frère.

— Ça ne me dérange pas d'arriver dernier, déclara Jamie avec candeur, du moment que je gagne un ruban.

— Je suis heureuse de voir que tu me fais confiance, ironisa Liz en souriant à son cadet, avant de débarrasser la table.

Puis elle lui dit de se préparer pour la nuit. Il devait aller au centre aéré dès le lendemain matin.

Elle l'y conduisit elle-même et l'embrassa avec tendresse.

— Je t'aime, mon chéri. Amuse-toi bien ; je serai à la maison à cinq heures et demie, et nous commencerons à nous entraîner pour les Jeux.

Il hocha la tête et lui envoya un baiser du bout des doigts en descendant de voiture. Elle démarra et se rendit au cabinet. Il faisait beau et chaud, même si une légère brume de chaleur empêchait de voir de l'autre côté du pont. Sans doute faisait-il frais à San Francisco.

Tout à coup, sans raison particulière, elle songea à Jack, et comme toujours elle eut l'impression de recevoir un coup de poignard en plein cœur. Cela lui arrivait encore fréquemment lorsqu'elle évoquait son souvenir ou voyait quelque chose qui lui faisait penser à lui. Cependant, quand elle arriva à son bureau, elle se sentait déjà mieux.

— Des messages ? demanda-t-elle à Jane.

Cette dernière lui tendit sept petits morceaux de papier. Deux appels venaient de nouveaux clients rencontrés la semaine précédente, deux d'avocats à qui elle avait transmis des dossiers, deux de personnes qu'elle ne connaissait pas ; le dernier était de sa mère.

Elle commença par les appels professionnels avant de téléphoner à Helen.

— Est-ce que les filles sont bien parties au camp ?

— Oui, sans problème. Je les ai conduites là-bas hier. Jamie est au centre aéré, et Peter travaille.

— Et toi, Liz ? Comment te débrouilles-tu ?

— Ça va. Je m'occupe des enfants, je bosse... La routine.

— Ce n'est pas suffisant pour une femme de ton âge, fit valoir sa mère. Tu as quarante et un ans, tu es encore jeune, mais pas assez pour perdre du temps. Tu devrais rencontrer du monde.

Oh, pour l'amour du ciel ! C'était bien la dernière chose qu'elle eût en tête. Elle portait toujours son alliance, et quand des amis lui suggéraient de recommencer à sortir et à fréquenter des hommes, elle se hâtait de secouer fermement la tête. Les rendez-vous galants ne l'intéressaient pas le moins du monde. Dans son cœur, elle se considérait toujours comme l'épouse de Jack, et elle avait le sentiment qu'il en serait toujours ainsi.

— Ça ne fait que six mois, maman. Et puis, je suis trop occupée.

— Six mois, c'est long. Certaines personnes trouvent le temps de se remarier, en six mois.

— Dix-neuf ans, c'est long aussi. Mais dis-moi, et toi ? Est-ce que *tu* fréquentes des hommes ?

— Je suis trop vieille pour ça, rétorqua sa mère d'un ton sec, bien que ce fût faux. Tu sais très bien que j'ai raison.

« Vends la maison. Ferme le cabinet. Trouve-toi un mari. » Sa mère avait de nombreux bons conseils à lui donner, ou du moins le croyait-elle, comme beaucoup d'autres personnes de son entourage. Tout le monde avait un avis à lui faire partager, mais elle n'était pas intéressée.

— Quand vas-tu prendre des vacances ? s'enquit Helen.

— En août. J'emmène les enfants à Tahoe.

— Parfait. Tu as bien besoin de te reposer.

— Merci. Bon, écoute, il faut que je travaille un peu. J'ai beaucoup de choses à faire ce matin.

Elle voulait raccrocher avant que sa mère n'embraye sur un autre sujet, comme elle le faisait toujours.

— As-tu enfin mis les affaires de Jack de côté ?

Seigneur, n'arrêtait-elle donc jamais ?

— Non. Je n'ai pas besoin de place.

— Tu as besoin de tourner la page, Liz, et tu le sais parfaitement.

— Alors explique-moi pourquoi les manteaux de papa sont toujours dans ton placard du rez-de-chaussée ?

— C'est différent. Je n'ai nulle part où les ranger.

Les ranger pour qui ? Et pour quoi ? C'était exactement pareil.

— Je ne suis pas prête, maman.

Et je ne le serai peut-être jamais, ajouta-t-elle en son for intérieur. Elle ne voulait pas que Jack sorte de sa vie, de sa tête, de son cœur, de ses placards. Elle ne se sentait pas encore capable de lui dire adieu.

— Tu n'iras pas mieux tant que tu ne l'auras pas fait.

— Mais je vais mieux ! Beaucoup mieux. Bon, maman, je dois te laisser, maintenant.

— Tu ne veux pas m'écouter, mais tu sais que j'ai raison.

Et pourquoi donc ? Pourquoi devrait-elle se débarrasser des affaires de Jack ? Pour la seconde fois de la matinée, elle ressentit comme un coup de poignard en plein cœur. Sa mère était loin de lui faciliter les choses.

— Je t'appellerai ce week-end, lui promit-elle.

— Ne travaille pas trop, Liz. Je continue à penser que tu devrais fermer le cabinet.

— J'y serai peut-être contrainte, si tu ne me laisses pas retourner à mes dossiers.

— Très bien, très bien... A dimanche, alors.

Après avoir raccroché, Liz demeura un moment le regard perdu dans le vide, songeant à Jack et à ce que venait de lui dire sa mère. Suivre les suggestions de cette dernière était trop douloureux. Les vêtements de Jack dans la penderie lui apportaient une sorte de réconfort. Parfois, elle effleurait une manche d'un doigt mélancolique, ou humait le parfum familier qui se dégageait encore de ses costumes. Elle s'était tout de même résignée à ranger la mousse à raser et le rasoir de Jack, et à jeter sa brosse à dents. Mais elle n'arrivait pas à continuer sur cette lancée. Le reste était toujours là, et cela lui plaisait ainsi. Un jour, s'il en allait différemment, elle agirait. Mais ce ne serait pas avant longtemps. Elle n'était pas prête.

— Ça va ? demanda Jane qui venait d'entrer dans la pièce et avait surpris sa mine mélancolique.

Liz leva vivement les yeux vers sa secrétaire et esquissa un sourire triste.

— Ma mère. Elle a toujours un conseil à me donner.

— Les mères sont comme ça. Vous êtes attendue au tribunal cet après-midi. Vous n'avez pas oublié, n'est-ce pas ?

— Non, non, même si je ne peux pas dire que cette perspective m'enchante.

Elle n'avait rien changé au fonctionnement du cabinet. Elle continuait à accepter les dossiers que Jack aurait approuvés, ceux pour lesquels il aurait eu envie de se battre. Elle utilisait les mêmes critères de sélection qu'autrefois. Elle faisait cela pour Jack, pour respecter les lignes de conduite qu'il avait tracées au début de leur association, mais parfois elle se posait des questions. Dans son métier, tant de choses lui déplaisaient ou lui paraissaient futiles ! Elle commençait à être déprimée, à force de passer son temps avec des gens qui se haïssaient et étaient prêts à tout pour se faire du mal et se frapper sous la ceinture. Jane s'en rendait compte : Liz ne mettait pas le même cœur à l'ouvrage que lorsque Jack était vivant. Ils avaient formé une équipe extraordinaire, mais, seule, la jeune femme n'avait pas le feu sacré. Elle ne l'admettait pas, mais les dossiers de divorce lui tapaient sur les nerfs.

Personne ne l'aurait deviné, cependant, lorsqu'elle pénétra au tribunal cet après-midi-là. Comme toujours, elle était parfaitement préparée, très organisée, et elle se battit vaillamment pour sa cliente, qui obtint sans problème ce qu'elle demandait. La question était mineure, d'ailleurs, et le juge remercia Liz d'avoir traité rapidement un problème que son adversaire cherchait à faire traîner sans raison particulière.

Il était presque dix-sept heures lorsqu'elle arriva au bureau, passa quelques coups de téléphone et rassembla ses affaires. Elle voulait être rentrée pour la demie, comme elle l'avait promis à Jamie.

— Vous partez ?

Jane venait d'entrer dans son bureau avec une pile de papiers qui venaient de chez un confrère. Il s'agissait d'une série de pièces à conviction relatives à un nouveau dossier qu'elle venait d'accepter.

— Je dois rentrer à la maison pour m'entraîner avec Jamie. Il va encore participer aux Jeux Olympiques Spéciaux, cette année.

— Ah, c'est bien, dit Jane en souriant, heureuse de voir Liz perpétuer les traditions instaurées par Jack.

Pour lui, elle s'efforçait de tout mener de front. Il était clair qu'elle ne souhaitait pas que les choses changent, et jusqu'à présent elle avait réussi à éviter les bouleversements. Elle continuait même à travailler dans son ancien bureau, bien qu'elle eût toujours préféré celui de Jack. Elle s'était contentée de fermer la porte de celui-ci, et ne pénétrait que rarement à l'intérieur. On avait l'impression qu'elle s'attendait à ce qu'il revienne un jour s'y installer. Au début, Jane avait trouvé cela un peu étrange, inquiétant même, mais elle s'y était accoutumée.

— A demain ! lui lança Liz en sortant à la hâte.

A son arrivée à la maison, Jamie l'attendait. Elle courut enfiler un jean, un sweat-shirt et des tennis, et cinq minutes plus tard elle le rejoignait pour s'entraîner avec lui au saut en longueur. La première tentative du garçonnet fut assez médiocre.

— Je n'y arrive pas ! Je ne peux pas.

Il paraissait vaincu avant même d'avoir commencé, et déclara vouloir abandonner, mais Liz ne l'entendait pas de cette oreille.

— Mais si, tu peux, affirma-t-elle. Regarde-moi.

Elle lui montra comment prendre son élan, en s'efforçant d'aller doucement pour qu'il comprît bien. La mémoire visuelle de Jamie était meilleure que sa mémoire auditive, et son deuxième essai fut un peu plus convaincant.

— Encore, l'encouragea-t-elle.

Quelques instants plus tard, Carole les rejoignit avec des boissons fraîches et des biscuits au chocolat encore chauds.

— Comment ça se passe ? demanda-t-elle gaiement.

Jamie secoua la tête d'un air lugubre.

— Pas bien. Je ne vais pas rapporter de ruban, cette année.

— Mais si, rétorqua Liz avec fermeté.

Elle voulait qu'il gagne, car elle savait combien c'était important pour lui. Il avait toujours obtenu un ruban lorsqu'il s'était entraîné avec son père. Une fois qu'il eut mangé deux cookies et but un grand verre de limonade, elle lui demanda de tenter un nouveau saut, et cette fois il s'en sortit un peu mieux. Elle le félicita et lui rappela la devise des Jeux Olympiques Spéciaux : « Que je gagne, et si je ne peux gagner, que je sois vaillant dans mon effort. »

Ils s'entraînèrent encore un moment, puis elle le chronométra dans un sprint à travers le jardin. Il avait toujours été meilleur à la course qu'au saut en longueur. C'était son point fort, il était généralement plus rapide que la plupart de ses adversaires et il parvenait mieux à se focaliser sur la ligne d'arrivée. En dépit de ses handicaps, il avait une capacité de concentration excellente, qui s'était encore améliorée depuis qu'il avait appris à lire, l'hiver précédent, réussite dont il était très fier. Il lisait tout ce qui lui tombait sous la main : paquets de céréales, étiquettes de pots de moutarde, briques de lait, livres illustrés, dépliants glissés sous les essuie-glaces de la voiture, et même les lettres que Liz laissait parfois traîner sur la table de la cuisine. A dix ans, il était fou de joie de savoir enfin lire.

A dix-neuf heures, Liz suggéra qu'ils s'arrêtent, mais il voulut continuer à s'entraîner encore un peu, et ce n'est qu'une demi-heure plus tard qu'elle parvint à le convaincre de regagner la maison.

— Il nous reste encore un mois pour nous préparer, mon chéri, nous n'avons pas à tout faire ce soir.

— Papa disait toujours qu'il fallait que je continue jusqu'à ce que je ne tienne plus debout. Et je tiens encore debout, répondit-il simplement.

Liz lui sourit.

— Moi, je pense que nous pouvons arrêter quand même, affirma-t-elle. Nous recommencerons demain.

— OK, concéda-t-il enfin.

En vérité, il avait beaucoup travaillé et était épuisé.

A la maison, ils trouvèrent le dîner prêt : Carole avait préparé l'un des plats préférés de Jamie, du poulet rôti accompagné de purée et de carottes caramélisées. Une tarte aux pommes fraîchement sortie du four venait couronner le tout.

— Miam ! s'exclama le garçonnet d'un air ravi.

Il dévora son dîner, tout en discutant avec excitation des Jeux Olympiques avec sa mère. Aussitôt après, il prit un bain et alla directement se coucher. Il fallait qu'il se lève tôt pour aller au centre aéré, et de son côté Liz avait du travail. Elle monta à l'étage avec son attaché-case et souhaita une bonne nuit au petit garçon, puis elle se retira dans sa chambre.

Elle pénétra dans le grand dressing que leur avait installé Jack, et dont ils utilisaient chacun un côté. L'esprit hanté par ce que sa mère lui avait dit le matin même, elle regarda les vêtements de Jack. Elle avait l'impression que tout le monde essayait de lui arracher ses souvenirs, et elle ne se sentait pas prête à y renoncer, à renoncer à Jack.

Elle laissa courir sa main sur ses vestes de costume, avant de se pencher pour humer l'une d'elles. Elle conservait l'odeur de Jack, et Liz se demanda s'il en serait toujours ainsi ou si elle s'évanouirait peu à peu. Cette pensée lui était intolérable, et elle sentit des larmes amères lui monter aux yeux. Elle enfouit son visage dans la veste, et n'entendit pas Peter entrer derrière elle ; elle sursauta violemment lorsqu'il posa une main sur son épaule.

— Tu ne devrais pas faire ça, maman, dit-il avec douceur, les yeux humides lui aussi, lorsqu'elle se tourna pour lui faire face.

— Et pourquoi pas ?

L'attirant à lui, il la serra dans ses bras. Il n'était plus seulement son fils, désormais, mais aussi un ami ; à dix-sept ans, il était devenu un homme en l'espace de quelques heures, lorsqu'il avait perdu son père.

— Il me manque encore tellement, confessa Liz.

Peter hocha la tête.

— Je sais. Mais te torturer ainsi ne changera rien. Ça n'aide pas ; au contraire, ça rend les choses encore plus pénibles. Moi aussi, avant, je venais me réfugier ici, mais ça me rendait tellement triste que j'ai fini par arrêter. Peut-être que tu devrais mettre ses affaires dans des malles. Je t'aiderai, si tu veux, proposa-t-il.

— C'est ce que ta grand-mère m'a conseillé de faire aussi... Mais je n'en ai pas envie, répondit Liz d'une voix triste.

— Attends, dans ce cas. Tu le feras quand tu te sentiras prête.

— Et si je ne suis jamais prête ?

— Ne t'inquiète pas. Quand le moment sera venu, tu le sauras.

Il la tint un long moment contre lui. Enfin, elle se dégagea avec douceur et lui sourit. Elle se sentait un peu mieux et était infiniment reconnaissante à son fils de son soutien.

— Je t'aime, maman.

— Moi aussi, mon grand. Merci d'être là pour moi et pour les autres.

Il se contenta de hocher la tête en silence et ils retournèrent dans la chambre de Liz. Le regard de la jeune femme se posa sur son attaché-case ; pour une fois, elle n'avait pas envie de travailler. Quand elle se laissait aller comme elle venait de le faire et s'accrochait à Jack, à son souvenir, à son odeur, elle éprouvait toujours ensuite un profond découragement. C'était agréable pendant quelques secondes, mais après il lui manquait encore plus. Voilà pourquoi Peter avait cessé de venir dans le dressing de ses parents : il avait découvert qu'il en ressortait plus déprimé encore qu'il n'y était entré.

— Pourquoi ne te détendrais-tu pas, ce soir ? suggéra-t-il. Tu pourrais prendre un bon bain ou aller voir un film.

— J'ai du travail, objecta-t-elle.

— Tu as toujours du travail. Ça attendra. Si papa était là, il te sortirait. Même lui ne travaillait pas tous les soirs comme tu le fais en ce moment.

— Non, mais il passait beaucoup de temps à étudier ses dossiers à la maison. Plus que moi, à l'époque.

— Tu ne peux pas être à la fois lui et toi, maman. Tu vas t'épuiser si tu t'obstines à vouloir jouer les deux rôles.

— D'où te vient toute cette sagesse ? demanda-t-elle en souriant.

Ils connaissaient tous deux la réponse, hélas. Peter avait brutalement grandi six mois plus tôt, le matin de Noël. Il avait été obligé de mûrir très vite pour aider sa mère, son frère et ses sœurs. Même les filles, d'ailleurs, avaient beaucoup changé au cours des derniers mois, et bien qu'elles fussent à un âge difficile, elles s'efforçaient d'aider leur mère, surtout Megan.

Peter laissa Liz pour retourner dans sa chambre, et la jeune femme s'assit sur son lit, entourée de papiers. Elle travaillait encore longtemps après que son fils eut éteint sa lampe de chevet : depuis la mort de Jack, elle se couchait toujours très tard. Elle avait horreur des moments qui précédaient le sommeil, pendant lesquels elle luttait contre les souvenirs. Depuis le début, elle appréhendait les nuits, bien plus dures à supporter que les jours.

A deux heures du matin, elle succomba enfin à l'épuisement ; mais à sept heures, elle était de nouveau sur pied. Comme la veille, elle déposa Jamie au centre aéré, puis elle se rendit au cabinet, établit la liste de ce qu'elle aurait à faire dans la journée, dicta des lettres à Jane, passa une dizaine de coups de téléphone, et à dix-sept heures trente elle était de retour dans son jardin, chronomètre en main, pour l'entraînement de Jamie. C'était, d'une certaine manière, une routine agréable. S'occuper des enfants, travailler, s'occuper des enfants, travailler, dormir un peu et tout recommencer de nouveau... Pour le moment, c'était toute sa vie, et elle ne voulait pas davantage.

Lorsque le camp des filles prit fin, Jamie, de son côté, avait beaucoup gagné en vitesse et avait même fait des progrès au saut en longueur. Liz l'avait également entraîné à la course en sac, au moyen d'un gros sac de jute récupéré chez un épicier. Le petit garçon était de plus en plus rapide, mais aussi de plus en plus confiant. Et la coordination qui lui manquait était compensée par une volonté à toute épreuve.

Cependant, il se réjouissait encore davantage de revoir ses sœurs que de participer aux Olympiades. Et elles aussi avaient hâte de le retrouver : toute la famille avait un gros faible pour Jamie.

La veille du retour des filles, pour l'aider à patienter, Liz l'emmena avec un camarade dans un parc d'attraction aquatique. Jamie adorait se faire éclabousser par les dauphins et les orques, et quand ils reprirent la voiture pour rentrer à la maison, il était trempé jusqu'aux os. Liz dut l'envelopper dans une serviette pour qu'il ne prenne pas froid ; lui était aux anges.

Les Jeux Olympiques Spéciaux devaient avoir lieu le week-end suivant. Liz s'entraîna avec Jamie chaque soir, ainsi que toute la matinée, la veille de la compétition, sous le regard des filles qui applaudissaient et encourageaient leur petit frère. Il avait fait de grands progrès, et était si excité qu'il eut un mal fou à s'endormir ce soir-là. Comme il le faisait assez souvent, il rejoignit Liz dans son lit. Elle ne s'en plaignait jamais et n'essayait pas de l'en dissuader car, égoïstement, elle appréciait sa présence et en tirait du réconfort.

Il faisait beau, le lendemain, et Jamie et elle partirent avant les autres. Peter les suivrait une heure plus tard avec Carole et les filles. Liz avait emporté la caméra de Jack et son Nikon.

Ils allèrent s'inscrire à l'entrée du champ de foire où devait avoir lieu la compétition, et Jamie reçut un numéro. Il y avait partout des enfants comme lui, dont beaucoup souffraient de handicaps plus sévères que le sien ; bon nombre se déplaçaient en chaises roulantes. Liz fut touchée de voir à quel point tous les enfants paraissaient heureux et surexcités. Jamie avait du mal à tenir en place en attendant sa première épreuve.

Enfin, on annonça le départ imminent du cent mètres. Au moment de rejoindre la piste, Jamie se tourna vers sa mère, l'air paniqué.

— Je ne peux pas, maman, dit-il d'une voix étranglée. Je ne peux pas.

Elle lui prit affectueusement la main.

— Si, tu peux, répondit-elle d'un ton apaisant. Tu sais que tu peux, Jamie. C'est juste pour s'amuser, mon chéri, ce n'est pas grave si tu ne gagnes pas. L'important, c'est que tu passes un bon moment. Essaie de te détendre et de te faire plaisir.

— Je n'y arriverai jamais sans papa.

Liz ne s'était pas attendue à cela, et une émotion indicible l'étreignit.

— Papa aurait voulu que tu t'amuses. Cette compétition est importante pour toi, tout comme elle l'était pour lui. Tu te sentiras bien si tu gagnes un ruban, dit-elle, luttant contre ses larmes.

Jamie, trop préoccupé par son propre chagrin, ne s'aperçut pas de son trouble.

— Je ne veux pas gagner sans lui, dit-il avant d'éclater en sanglots et d'enfouir son visage dans le cou de sa mère.

L'espace d'un instant, elle se demanda s'il valait mieux l'autoriser à déclarer forfait ou le pousser à participer à la course. Elle opta pour la seconde solution : comme tout ce qu'ils faisaient depuis la mort de Jack, elle savait que ce serait dur, au début, mais qu'ensuite Jamie aurait le sentiment d'avoir remporté une importante victoire sur lui-même.

— Ecoute, essaie de participer au moins à une épreuve, lui dit-elle sans cesser de lui caresser tendrement les cheveux, et après si tu ne veux pas continuer, nous regarderons le reste depuis les tribunes, ou même nous rentrerons à la maison, si tu préfères. Je te demande seulement de tenter le coup.

Il hésita un très long moment, silencieux. On appela les participants au cent mètres à se mettre en place ; alors seulement, Jamie leva lentement les yeux vers sa mère et hocha la tête sans un mot. Liz l'accompagna jusqu'à la ligne de départ, et une fois encore il la regarda longuement avant de se mettre en place. Elle lui envoya un baiser du bout des doigts. Jamais Jack n'aurait fait cela, elle le savait : il traitait toujours Jamie en homme et reprochait à sa femme de l'infantiliser. Mais elle n'y pouvait rien : Jamie serait toujours son bébé, quoi qu'il arrive.

Elle le regarda courir les larmes aux yeux, criant des encouragements. Cette fois, elle voulait qu'il gagne, pour lui-même, pour Jack, pour prouver au monde qu'il pouvait s'en sortir, même sans son père. Il en avait plus besoin encore que les autres, et d'une certaine manière elle aussi. Retenant son souffle, elle le regarda approcher de la ligne d'arrivée. Il était en troisième ou quatrième place, mais tout à coup, il accéléra et dépassa les autres. Il ne regarda pas autour de lui, comme certains autres concurrents ; il se contenta de courir au maximum et de continuer droit devant lui. Et soudain, abasourdie, le visage baigné de larmes, Liz réalisa qu'il avait gagné. Le ruban d'arrivée en travers du torse, il était debout à l'autre bout de la piste, haletant, et il la cherchait du regard tandis que le responsable de la course le félicitait chaleureusement. Liz courut vers Jamie aussi vite qu'elle le put, et dès qu'il la vit, il jeta ses bras autour de son cou.

— J'ai gagné ! J'ai gagné ! Je suis arrivé premier… Maman, j'ai gagné ! Je n'avais jamais gagné avec papa !

Jack aurait été si fier de son grand garçon, songea Liz avec émotion. Nul doute qu'en cet instant, où qu'il fût, il les regardait en souriant. Elle serra Jamie contre son cœur et remercia le ciel de ce cadeau. Puis elle lui embrassa le front et lui dit combien elle était fière de lui. Il parut surpris lorsque, levant la tête, il vit qu'elle pleurait.

— Tu n'es pas contente, maman ? demanda-t-il, visiblement perplexe.

Elle éclata alors de rire.

— Tu parles si je suis heureuse ! Tu as été fantastique !

Tous deux firent de grands signes à Peter et aux filles dans les tribunes, et ceux-ci applaudirent à tout rompre lorsqu'on annonça le nom des lauréats du cent mètres et que Jamie alla recevoir sa médaille d'or.

Après cela, le garçonnet arriva deuxième de l'épreuve de saut en longueur, et premier ex æquo de la course en sac, si bien qu'à la clôture des festivités il avait remporté deux médailles d'or et une médaille d'argent. Quand, enfin, tard dans l'après-midi, Liz et lui remontèrent en voiture, il n'avait jamais été aussi heureux. Il contemplait avec extase les trois médailles passées autour de son cou. Ç'avait été une merveilleuse journée, pleine de joies et de moments tendres, et pour fêter les succès de Jamie, Liz emmena les enfants dîner dans un restaurant de Sausalito. Pendant longtemps, tous se souviendraient de ce jour avec fierté.

— Je n'ai jamais gagné quand je m'entraînais avec papa, fit observer Jamie au cours du repas. Tu es vraiment bonne, maman. Je ne pensais pas que tu y arriverais.

— Moi non plus, renchérit Megan en regardant sa mère avec admiration.

Rachel et Annie taquinèrent affectueusement leur petit frère en le traitant de grand athlète, et Liz promit de lui faire encadrer ses médailles.

— Beau boulot, maman, la complimenta Annie.

— C'est Jamie qui a fait le plus dur. Moi, je me suis contentée de le chronométrer dans le jardin. C'était plutôt facile.

Mais ils s'étaient entraînés ensemble chaque jour pendant cinq semaines, et cette persévérance avait porté ses fruits. Jamie n'avait jamais été aussi heureux de sa vie, ni aussi fier. Il montra ses médailles à tous les clients du restaurant, et quand Liz le borda dans son lit, ce soir-là, il la remercia de nouveau et la serra contre lui.

— Je t'aime, maman. Papa me manque, mais je t'aime vraiment beaucoup.

— Tu es un garçon super, et moi aussi je t'aime, Jamie. Tu sais, papa me manque aussi, mais je suis sûre qu'il te regardait, aujourd'hui, et qu'il était très fier de toi.

— Je crois aussi, acquiesça Jamie en réprimant un bâillement.

Il se coucha sur le côté, et elle lui caressa doucement le dos pendant une minute ; il s'endormit presque aussitôt, épuisé par cette journée riche en émotions, et elle quitta la chambre, un sourire aux lèvres. Peter était sorti : il avait emmené Megan au cinéma avec lui. Rachel et Annie regardaient une cassette vidéo. Liz pénétra dans sa chambre, songeant à son mari.

— Nous avons réussi, Jack, murmura-t-elle dans l'obscurité.

La pièce était vide, mais elle le sentait tout autour d'elle. C'était une présence, une force, un amour bien difficiles à oublier.

— Merci, ajouta-t-elle avec douceur.

Elle alluma la lumière. Désormais, elle ne s'attendait plus à le voir apparaître à l'improviste. Elle savait qu'il ne reviendrait pas. Mais ce qu'il leur avait laissé était infiniment précieux et demeurerait à jamais.

6

Ils partirent pour Tahoe trois jours après les Jeux Olympiques Spéciaux. Jamie était toujours d'excellente humeur, comme eux tous d'ailleurs. Un ami de Jack leur avait prêté sa maison d'Homewood ; il s'agissait d'une vieille demeure pleine de coins et de recoins qu'ils lui avaient déjà empruntée par le passé. Sa femme n'aimait pas Tahoe, leurs enfants étaient grands, et ils allaient rarement dans leur résidence secondaire. Pour Liz et les enfants, en revanche, elle était parfaite. Elle possédait une large véranda, et la plupart des chambres donnaient sur le lac. Le bâtiment lui-même était entouré de deux hectares de terres plantés de vieux arbres majestueux, et lorsqu'ils arrivèrent à destination, ils étaient tous aux anges.

Peter et les filles aidèrent Liz à tout sortir de la voiture, et Jamie porta les provisions dans la maison et les déballa avec sa mère. Carole était allée passer une semaine chez sa sœur, à Santa Barbara.

— Et si nous allions nager ? suggéra Peter presque aussitôt après.

Une demi-heure plus tard, ils plongeaient dans l'eau froide. Ils tremblaient et claquaient des dents, mais cela faisait partie du jeu et ils arboraient tous de grands sourires. Dès le lendemain, il était prévu qu'ils aillent faire du ski nautique.

Ce soir-là, Liz leur prépara à dîner, et Peter l'aida à faire marcher le barbecue. Son père lui avait appris à s'en servir. Ensuite, ils s'installèrent devant la cheminée et se racontèrent des histoires en faisant rôtir des marshmallows. Au bout d'un moment, Annie évoqua une anecdote amusante concernant leur père. Liz l'écouta en souriant et se souvint à son tour d'une autre histoire. Elle la leur raconta et tous rirent, après quoi Rachel leur rappela la fois où Jack s'était accidentellement enfermé dans un bungalow qu'ils avaient loué et avait dû sortir par la fenêtre. C'était à qui se rappellerait l'épisode le plus cocasse, et tous participèrent : il s'agissait d'une manière de le faire revivre. Les mois qui s'étaient écoulés depuis sa mort avaient rendu la douleur plus supportable et avaient ramené les rires dans la maisonnée.

Quand, enfin, ils montèrent tous se coucher à l'étage, Liz songea qu'elle ne s'était pas sentie aussi bien depuis des mois. Jack lui manquait toujours, mais elle n'était plus aussi triste, et les enfants et elle étaient heureux d'être là. Ils avaient bien besoin de ces vacances, et elle se réjouissait que Peter ait pu s'absenter une semaine de la clinique vétérinaire pour se joindre à eux. Son patron était si content de lui qu'il lui avait très volontiers accordé ce congé.

Après leur séance de ski nautique le lendemain, Peter emmena Rachel et Jamie pêcher dans le ruisseau qui passait derrière la maison, et ils réussirent à attraper un poisson. Forts de ce succès, ils décidèrent de renouveler l'expérience le lendemain tous ensemble, sur le lac cette fois. Ils empruntèrent la barque accrochée à la jetée, et les deux garçons attrapèrent des poissons de taille moyenne. Megan, en revanche, en pêcha un très gros, que Liz cuisina ce soir-là avec les écrevisses qu'ils avaient pêchées près de la jetée. Tout se passait merveilleusement bien, et un soir ils décidèrent même de dormir dans des sacs de couchage dans la véranda pour pouvoir contempler les étoiles. C'étaient de merveilleuses vacances.

Lorsqu'ils durent faire leurs bagages à la fin de la semaine, tous étaient désolés de devoir partir et les enfants firent promettre à Liz de renouveler l'expérience avant la fin des vacances. Elle se dit qu'il leur serait sans doute possible d'emprunter de nouveau la maison pour le week-end de la fête du travail[1] ; de surcroît, cela leur permettrait d'éviter d'organiser la soirée qu'ils avaient coutume de donner à cette occasion. A l'instar de leur pique-nique du 4 juillet, ils avaient décidé de l'annuler cette année. Passer trois jours au bord du lac serait bien plus agréable.

Dans la voiture, le lendemain, tous étaient d'excellente humeur. Ils s'arrêtèrent chez Ikeda, à Auburn, pour déguster des hamburgers et des milk-shakes.

— Je n'ai pas du tout envie de retourner travailler, avoua Liz à son fils aîné tandis qu'ils terminaient leurs boissons. Nous nous sommes si bien amusés ! J'aimerais pouvoir passer le reste de l'été à paresser.

1. Le premier lundi de septembre, aux Etats-Unis. (*N.d.T.*)

— Pourquoi ne prends-tu pas quelques jours de vacances supplémentaires, maman ? suggéra-t-il.

Mais elle secoua la tête. Elle imaginait sans peine la masse de travail qui l'attendait déjà à son bureau ; de surcroît, elle avait à se rendre au tribunal à plusieurs reprises ce mois-là, et à préparer un procès qui devait avoir lieu au début du mois de septembre.

— Je suis débordée.

— Tu travailles trop, maman. Et si tu embauchais un autre avocat pour t'aider ?

— J'y ai pensé, mais j'ai l'impression que ça n'aurait pas plu à ton père.

— Il n'aurait pas non plus voulu te voir te tuer à la tâche.

Jack avait toujours su s'amuser, et même si leur travail avait été très important pour lui, il était le premier à apprécier de vraies vacances. Il aurait adoré la semaine qu'ils venaient de passer au lac Tahoe.

— Je verrai. Peut-être que dans quelques mois je me trouverai un associé. Mais pour l'instant, je me débrouille bien toute seule.

A condition de ne jamais s'arrêter pour lire un livre ou un magazine, de ne jamais déjeuner avec une amie ou aller chez le coiffeur. A condition de consacrer à son travail chaque instant qu'elle ne passait pas avec ses enfants… Cela fonctionnait ainsi, mais ce n'était pas une vie, elle en avait conscience. Et ses enfants aussi, de toute évidence.

— N'attends pas éternellement, maman, lui conseilla Peter avant de partir à la recherche des autres, qui étaient allés acheter des bonbons.

Cela faisait partie des charmes d'Ikeda, et c'était l'une des raisons pour lesquelles ils s'y arrêtaient toujours volontiers, notamment lorsqu'ils allaient skier à Tahoe l'hiver.

A leur retour à la maison, Carole les attendait. Liz savait que les quelques semaines avant la rentrée allaient être très actives pour la gouvernante. Peter devait encore travailler une semaine ou deux à la clinique vétérinaire, mais les autres passeraient le plus clair de leur temps autour de la piscine et ils inviteraient des amis à se joindre à eux. Carole serait obligée de faire déjeuner au moins une demi-douzaine d'enfants chaque jour, et ils risquaient d'être plus nombreux encore le soir. Cependant, Liz était heureuse de recevoir les amis de ses enfants, et par la même occasion de savoir ces derniers à la maison, en sécurité.

Carole leur avait préparé un délicieux dîner, et quand ils montèrent se coucher ce soir-là, ils étaient heureux d'être de retour chez eux. Liz se sentait encore détendue le lendemain matin, lorsqu'elle partit pour le bureau ; hélas, au bout de dix minutes, la masse de travail qui s'était accumulée en son absence eut raison de sa bonne humeur. La pile des messages téléphoniques était à elle seule décourageante. En vérité, elle était trop appréciée ; tant ses anciens clients que ses confrères ne cessaient de lui adresser de nouveaux cas. Un instant, elle se souvint de ce que Peter lui avait dit, et songea qu'engager un associé serait peut-être une bonne idée.

Elle en parla à Jane cet après-midi-là lorsqu'elles s'attaquèrent méthodiquement aux dossiers entassés sur le bureau.

— Vous avez quelqu'un en tête ? demanda Jane avec intérêt.

Cela faisait déjà un moment qu'elle pensait que Liz devrait se faire aider, et elle se réjouissait que Peter ait abordé la question.

— Pas encore, admit Liz. Je ne suis même pas sûre d'avoir envie de prendre un associé.

— Vous devriez tout de même y réfléchir. Peter a raison, vous ne pouvez pas tout faire toute seule. C'est trop pour une seule personne ; c'était déjà presque trop pour deux avant la mort de Jack, et le cabinet a encore prospéré au cours des six derniers mois. Je ne sais pas si vous vous en êtes rendu compte, mais moi oui. Vous vous occupez de deux fois plus de dossiers qu'à l'époque où vous étiez deux.

— Comment cela a-t-il pu se produire ? s'étonna Liz.

— Vous êtes bonne, voilà tout, répondit Jane avec un sourire.

— Mais Jack l'était aussi, fit valoir Liz, volant à la défense de son mari. J'ai même toujours pensé qu'il était meilleur avocat que moi.

— En toute franchise, je ne dirais pas ça, objecta Jane. Et puis, il refusait plus de dossiers que vous. Vous n'avez jamais le cœur de dire non aux gens. Lui, si un cas ne l'intéressait pas, il s'empressait de s'en débarrasser.

— Peut-être que je devrais faire ça aussi, observa Liz, pensive.

— Je ne suis pas sûre que vous soyez capable de vous y résoudre, dit la secrétaire, qui la connaissait bien et savait à quel point elle était consciencieuse.

— Moi non plus, reconnut Liz en riant.

Là-dessus, elles se remirent au travail. Liz avait plusieurs lettres à dicter concernant ses dossiers en cours à envoyer à différents juges et confrères.

Il était près de vingt heures lorsqu'elle rentra chez elle ce soir-là ; c'était le prix à payer pour sa semaine de vacances. Elle trouva les enfants assis autour de la piscine. Carole leur distribuait des parts de pizza.

— Salut tout le monde ! lança Liz en souriant.

Elle fut heureuse de voir que Peter était là, mais fronça les sourcils en remarquant qu'il avait invité deux de ses amis qui jouaient un peu trop rudement avec les plus jeunes dans la piscine. Elle leur conseilla de se calmer un peu, et demanda à Peter de suggérer à ses camarades de se montrer plus doux.

— Quelqu'un va se faire mal, dit-elle à Carole, qui acquiesça et lui expliqua qu'elle avait passé l'après-midi à répéter la même chose aux amis de Megan.

Liz était surtout inquiète pour Jamie, qui n'était pas un nageur émérite. Elle mit de nouveau les enfants en garde après le départ de leurs invités.

— Je ne veux ni accidents ni procès !

— Tu t'inquiètes trop, maman, affirma Annie.

Mais Liz lui répondit qu'elle était sérieuse. Elle leur répéta ses recommandations le lendemain matin au moment de les quitter, et quand elle rentra à la maison ce soir-là, les jeux paraissaient un peu plus calmes que la veille. Cela la rassura ; hélas, le jeudi, elle trouva Peter et ses amis occupés à se pousser violemment dans l'eau les uns les autres, sans se préoccuper des enfants qui s'y trouvaient déjà. Prenant son fils à part, elle lui dit très clairement que ses camarades ne seraient pas réinvités s'ils refusaient d'observer les règles élémentaires de sécurité et s'ils ne respectaient pas les plus jeunes.

— Je ne veux pas avoir à te le répéter, conclut-elle sévèrement.

— Tu as l'air fatiguée, maman, observa-t-il avec sollicitude.

— Je *suis* fatiguée, mais là n'est pas la question. Je ne veux pas d'accident ici. Plus de jeux violents au bord de la piscine, Peter, c'est bien compris ?

— OK, maman.

Même s'il avait beaucoup mûri au cours de la dernière année, il était jeune, et certains de ses amis étaient des têtes brûlées, ce qui inquiétait Liz. Si quelqu'un se blessait chez eux, ce serait un véritable cauchemar à gérer, et elle n'avait vraiment pas besoin de cela. Ils avaient assez souffert.

Elle devait aller au tribunal tôt le lendemain matin et se retira presque aussitôt dans sa chambre pour préparer son intervention. Elle était épuisée et irritée, et voulait essayer de se coucher assez tôt.

Elle quittait tout juste la cour, le lendemain vers midi, lorsque son téléphone portable sonna. Liz s'immobilisa sur le perron du tribunal pour répondre ; c'était Carole.

— Il faut que vous veniez tout de suite, dit-elle d'une voix calme mais impérieuse.

Un frisson parcourut Liz. Carole n'employait ce ton-là que lorsqu'un des enfants s'était fait mal ou qu'il y avait un problème grave.

— Que se passe-t-il ? Quelqu'un est-il blessé ?

Mais avant même d'entendre la réponse de la gouvernante, elle avait deviné.

— C'est Peter, dit Carole. Il avait une journée de congé, et certains de ses amis étaient là…

Liz lui coupa la parole d'une voix aiguë, presque hystérique, qu'elle-même ne reconnut pas.

— Que s'est-il passé ?

— Nous ne le savons pas encore. Je crois qu'il s'est heurté la tête en plongeant dans la piscine. L'ambulance est ici.

— Est-ce qu'il saigne ?

L'image de Jack, étendu sur le sol de leur bureau dans une mare de sang, s'imposa à son esprit avec une précision insoutenable. Pour elle, désormais, le sang était synonyme de désastre.

— Non, répondit Carole avec un calme qu'elle était loin d'éprouver.

Cela la rendait malade de devoir annoncer pareille nouvelle à Liz, mais elle savait qu'elle n'avait pas le choix.

— Mais il est inconscient.

Elle n'eut pas le cœur de dire à Liz qu'il s'était peut-être brisé le cou. Les ambulanciers n'en étaient pas encore sûrs.

— Ils vont le conduire au Marin General. Vous pouvez le retrouver directement là-bas, si vous voulez.

— Est-ce que tout le monde va bien, sinon ? demanda Liz tout en courant vers sa voiture.

— Personne d'autre n'a été blessé. Seulement Peter.

— Est-ce qu'il va s'en tirer ?

Personne ne pouvait encore le dire. Il y avait des secouristes partout, et Liz entendait des sirènes à l'autre bout du fil.

— Je pense. Je ne sais pas grand-chose, Liz. Je les regardais… Je leur ai dit…

Carole s'interrompit, en larmes. Liz était dans sa voiture, et elle mit un terme à la conversation pour pouvoir démarrer. Tout en se dirigeant vers l'hôpital, elle priait pour que tout aille bien. Il fallait que Peter s'en sorte. Ils ne pouvaient affronter un autre désastre, ou pire, une autre perte. Jamais elle ne s'en remettrait.

Elle conduisit aussi vite que possible et arriva sur le parking des urgences peu après l'ambulance qui emmenait Peter. Ce dernier avait été conduit directement au service de traumatologie, et la réceptionniste indiqua à Liz où se trouvait celui-ci.

Elle partit en courant, dévalant les couloirs presque sans en avoir conscience. Dès son arrivée dans le service, elle le vit. Il était gris et mouillé, et les médecins lui donnaient de l'oxygène tout en s'activant avec frénésie autour de lui. Ils étaient trop occupés pour venir parler à Liz, et ce fut une infirmière qui lui expliqua rapidement de quoi il retournait : Peter souffrait d'une blessure sévère à la tête et s'était peut-être fracturé plusieurs vertèbres. Ils allaient lui faire des radios aussi vite que possible ; il était déjà sous perfusion et relié à plusieurs moniteurs.

— Est-ce qu'il va s'en tirer ? demanda Liz sans quitter son fils des yeux, submergée par une vague de panique.

Il paraissait mourant, et peut-être l'était-il.

— Nous n'en savons rien encore, répondit l'infirmière avec franchise. Un médecin viendra vous voir dès qu'il aura été examiné.

Liz aurait voulu toucher Peter, lui parler, mais elle ne pouvait même pas s'approcher de lui. Il lui fallait rester là et lutter contre sa propre panique. Les ambulanciers avaient découpé le maillot de bain du jeune homme, et il était nu sur le brancard. Déjà, on apportait l'appareil de radiologie mobile.

Les médecins prirent des clichés de sa tête et de son cou et les examinèrent minutieusement pendant ce qui parut une éternité à Liz. Elle ne pouvait retenir ses larmes et demeurait immobile, les yeux fixés sur Peter. Enfin, un homme en blouse verte s'approcha d'elle. Il avait un stéthoscope autour du cou et s'adressa à elle d'un ton professionnel. Il était très grand, avec des yeux noirs et des tempes grisonnantes. Quelque chose en lui inspirait le respect, et en dépit de sa mine sombre Liz se sentit en confiance.

— Comment va-t-il ? demanda-t-elle d'une voix désespérée.

— Pas trop bien, pour l'instant. Nous ne sommes pas encore sûrs de la gravité de sa blessure à la tête, ni de ses éventuelles conséquences. Les possibilités sont nombreuses. L'œdème interne est assez important. Nous allons lui faire passer un scanner dans quelques minutes. La suite dépend en grande partie du temps qu'il mettra à revenir à lui. En ce qui concerne son cou, je pense qu'il a eu de la chance ; je croyais qu'il était cassé lorsqu'il est arrivé, mais il ne semble pas que ce soit le cas. Nous en saurons plus quand les radios arriveront.

Il voyait beaucoup de jeunes devenir tétraplégiques à la suite d'accidents de ce type, des adolescents qui plongeaient sans faire attention dans leur piscine ou qui chahutaient trop près du bord. Mais cette fois, il avait bon espoir : les bras et les jambes de Peter n'étaient pas paralysés.

Les radios confirmèrent qu'il ne souffrait que d'une fêlure de la quatrième vertèbre cervicale, qui n'avait pas touché la moelle épinière. A présent, ils devaient se concentrer sur sa blessure à la tête.

Avant qu'ils ne l'emmènent, Liz put s'approcher de lui une seconde et lui toucher la main.

— Je t'aime, murmura-t-elle seulement, bien que Peter fût encore inconscient et incapable de l'entendre.

Presque une heure s'écoula avant qu'il ne revienne. Il était toujours livide, et le médecin paraissait préoccupé. Liz avait appris entre-temps qu'il se nommait Bill Webster et était le chef du service de traumatologie.

— Votre fils souffre d'un traumatisme crânien assez sévère, madame Sutherland. Et l'œdème est impressionnant. A présent, nous ne pouvons qu'attendre, mais s'il ne se résorbe pas, nous serons obligés d'ouvrir pour le soulager.

— Vous voulez dire qu'il faudra l'opérer du cerveau ? demanda Liz, horrifiée.

Le médecin hocha la tête.

— Sera-t-il... Est-il...

Elle n'arrivait même pas à mettre des mots sur l'angoisse qui l'oppressait.

— Nous n'en savons encore rien. Il y a beaucoup de facteurs qui entrent en compte. Nous allons le laisser au calme un certain temps et voir ce qui se passe.

— Puis-je rester près de lui ?

— Oui, à condition de ne pas nous gêner et de ne pas le remuer. Il doit rester immobile.

Il lui parlait comme à une ennemie, songea-t-elle, blessée. Il y avait chez cet homme une dureté, un manque de sensibilité qui le lui rendaient extrêmement antipathique. Néanmoins, il semblait uniquement préoccupé par la santé de Peter, et cela le rachetait un peu aux yeux de Liz.

— Je ne vous dérangerai pas, promit-elle.

Il lui dit où s'asseoir, et elle s'installa sur un tabouret à côté du lit de Peter. Là, elle lui tint la main en silence. Partout, des moniteurs contrôlaient chacune des fonctions vitales du jeune homme. Pour le moment, son état était stationnaire.

— Où étiez-vous lorsque l'accident s'est produit ? demanda le médecin.

Liz crut déceler une accusation dans son ton, et elle eut envie de le gifler.

— Au tribunal. Je suis avocate. Ma gouvernante était avec Peter et ses amis autour de la piscine, mais je suppose qu'elle n'a pas eu le temps d'intervenir.

— Cela me semble évident, rétorqua-t-il assez sèchement avant de s'éloigner pour parler avec un interne et un autre médecin qui venaient d'entrer dans la pièce.

Il revint quelques minutes plus tard.

— Nous allons lui donner encore une heure ou deux, puis nous l'emmènerons au bloc, déclara-t-il sans prendre de gants.

Liz hocha la tête. Elle tenait toujours la main de Peter dans la sienne.

— Si je lui parle, m'entendra-t-il ? s'enquit-elle.

— C'est peu probable, répondit-il en la regardant, les sourcils froncés.

Elle était aussi pâle que son fils.

— Vous vous sentez bien ? demanda-t-il. Je vous préviens, nous n'aurons pas le temps de nous occuper de vous si vous vous évanouissez. Si vous vous sentez dépassée par les événements, mieux vaut que vous alliez dans la salle d'attente, et nous vous appellerons quand il y aura du nouveau.

— Je ne bouge pas d'ici, décréta-t-elle avec fermeté.

N'avait-elle pas supporté, sans s'évanouir, la mort de Jack ? Elle détestait la façon qu'avait cet homme de s'adresser à elle, mais l'une des infirmières lui avait dit que c'était le meilleur médecin de l'hôpital, en dépit de ses manières un peu brusques, et Liz le croyait volontiers. Il avait l'habitude des situations critiques, et sauver des vies était son seul but — la famille des patients lui importait peu. De nouveau, il s'éloigna, cette fois pour prévenir un neurochirurgien de se tenir prêt en cas de besoin. Une infirmière s'approcha de Liz et lui demanda si elle voulait un café.

— Non, merci, ça va, répondit-elle doucement, même si c'était clairement un mensonge.

Son désespoir se lisait sur son visage, et elle était aussi inquiète pour son fils qu'elle l'avait été pour son mari, le matin de Noël. Elle ne savait qu'une chose : cette fois, elle ne pouvait pas perdre. Cette pensée lui était intolérable, et chaque fois qu'elle lui venait à l'esprit, elle se penchait vers Peter et lui parlait à voix basse.

— Allez, Peter… Réveille-toi… Parle-moi… C'est maman… Ouvre les yeux… Parle-moi… C'est maman, mon chéri… Je t'aime… Réveille-toi…

C'était comme un mantra qu'elle répétait inlassablement, priant pour que, où qu'il fût, dans les méandres lointains de son inconscient, Peter l'entendît.

Il était quatorze heures trente, et à seize heures, rien n'avait changé. Bill Webster revint lui parler. Il avait décidé de laisser une heure de plus à Peter pour reprendre connaissance, après quoi ils prendraient une décision. Liz l'écouta attentivement et hocha la tête. Peter n'avait pas bougé depuis son admission à l'hôpital, mais le médecin et elle convenaient qu'il avait repris quelques couleurs.

Ce n'était pas le cas de Liz, en revanche, et son interlocuteur, voyant à quel point elle paraissait angoissée, s'adoucit un peu. Il lui demanda si elle avait appelé le père du jeune homme, mais elle secoua la tête.

— Vous devriez peut-être, observa-t-il prudemment. Votre fils n'est pas encore tiré d'affaire.

— Son père est mort il y a huit mois, expliqua-t-elle enfin d'une voix calme. Il n'y a personne d'autre à prévenir.

Elle avait déjà appelé Carole pour lui expliquer que Peter était vivant, mais qu'elle n'appellerait de nouveau qu'une fois qu'ils en sauraient un peu plus. Il ne lui restait plus qu'à prier pour que le jeune homme ne rejoigne pas son père.

— Je suis désolé, dit le médecin avant de disparaître de nouveau.

Liz reporta son attention sur son fils. Elle aurait préféré mourir plutôt que de l'admettre, mais elle commençait à craquer ; elle avait l'impression que la chambre tournait autour d'elle. C'était trop dur, trop terrifiant. Elle ne pouvait pas le perdre. Elle ne pouvait pas. Elle ne le laisserait pas les quitter.

Elle prit une profonde inspiration et recommença à parler doucement à Peter. Et comme s'il avait entendu ses prières, il remua légèrement et essaya de tourner la tête, mais celle-ci était maintenue en place par un appareil et il ne put la bouger. Il avait toujours les yeux fermés. Dès lors, Liz commença à lui parler d'une voix plus forte, plus assurée, lui demandant d'ouvrir les yeux, de lui parler, ou au moins de cligner des yeux ou de lui serrer la main s'il l'entendait. Mais pendant un long moment, Peter ne bougea plus. Il émit un petit gémissement, mais il était impossible de savoir si c'était inconscient ou en réponse aux injonctions pressantes de sa mère.

Aussitôt, une infirmière arriva en courant, vérifia toutes les données transmises par les moniteurs et partit prévenir le médecin. Liz ne savait si c'était bon signe ou non, mais elle continua à parler à Peter et à le supplier de l'écouter. Au moment précis où Bill Webster revenait, Peter gémit de nouveau, et il battit des cils. Liz, debout à son côté, le regardait avec un mélange d'espoir et de terreur.

— Mmmmmman...

Maman ! Le mot était presque inaudible, et lui avait coûté un effort indicible, mais il avait bel et bien essayé de dire « maman », Liz et Bill Webster l'avaient entendu tous les deux. En larmes, Liz se pencha vers son fils et lui répéta combien elle l'aimait. Quand elle releva la tête pour regarder le médecin, elle constata avec stupeur qu'il souriait.

— Nous tenons le bon bout, déclara-t-il d'un ton soulagé. Continuez à lui parler, j'aimerais effectuer quelques tests supplémentaires.

Les yeux de Peter s'étaient refermés, mais il les rouvrit lorsque Liz s'adressa de nouveau à lui. Cette fois, il poussa un long gémissement et serra presque imperceptiblement la main de sa mère.

— Aaaah, dit-il en fronçant les sourcils. Aaaaah...

— Il souffre, dit-elle au médecin, qui hocha la tête.

— Pas étonnant. Il doit avoir un sacré mal de crâne.

Tout en parlant, il avait installé un nouveau liquide dans la perfusion de Peter. Un infirmier faisait une prise de sang au jeune homme, et quelques minutes plus tard, le neurochirurgien passa le voir.

— Il y a des progrès, lui annonça Bill Webster d'un air satisfait.

Il donna à son collègue toutes les informations dont il disposait, et ils déclarèrent à Liz qu'ils n'opéreraient pas Peter tout de suite. Avec un peu de chance, si l'état du jeune homme continuait à s'améliorer, l'intervention ne serait pas nécessaire.

Il était dix-huit heures ; Liz n'avait pas quitté un instant le chevet de son fils.

— Quelqu'un restera près de lui, si vous voulez aller prendre un café, lui proposa Bill Webster.

Mais elle n'avait pas l'intention de s'éloigner de Peter tant que son état ne se serait pas amélioré davantage, même si cela devait prendre des heures. De toute façon, bien qu'elle n'eût rien mangé depuis le petit déjeuner, elle aurait été parfaitement incapable d'avaler quoi que ce fût tant elle était anxieuse.

Une heure s'écoula avant que Peter ne parle de nouveau, mais cette fois il parvint à répéter « Maman » un peu plus clairement. Puis, dans un gémissement, il ajouta « mal » avant de serrer la main de sa mère dans la sienne. Son étreinte était à peine plus forte que celle d'un bébé, et il souffrait visiblement, mais Bill Webster ne voulait pas lui donner de trop fortes doses d'analgésiques, craignant de le voir retomber dans le coma.

— Maison, dit enfin Peter sous le regard des médecins.

— Tu veux rentrer chez toi ? s'enquit le Dr Webster.

Peter hocha imperceptiblement la tête.

— Parfait. Nous aussi nous voulons que tu rentres. Mais avant que tu sortes d'ici, il va falloir que nous bavardions un peu plus, tous les deux. Comment te sens-tu, Peter ?

Il s'adressait à son patient avec bien plus de douceur qu'il n'en avait manifesté vis-à-vis de Liz, et cette dernière lui en fut reconnaissante.

— Affreux, articula Peter en réponse à la question du spécialiste. J'ai mal.

— Où as-tu le plus mal ?

— Ma tête.

— Et ton cou ? Est-ce qu'il te fait mal ?

Peter essaya de nouveau de hocher la tête et grimaça de douleur. Le moindre mouvement le faisait horriblement souffrir.

— As-tu mal ailleurs ?

— Non. Maman…

— Je suis là, mon chéri. Je ne bouge pas d'ici.

— Pardon… dit-il en la regardant d'un air désolé. Idiot…

Liz se mordit la lèvre, émue. Elle allait protester et le rassurer quand le médecin répondit à sa place.

— Oui, c'était complètement idiot. Tu as de la chance de ne pas finir tétraplégique.

Là-dessus, il demanda à l'adolescent de bouger tous ses membres un à un. Peter parvint à peine à serrer la main de Bill Webster, mais ce dernier et le neurochirurgien se déclarèrent satisfaits de ses progrès. A vingt et une heures, ils annoncèrent à Liz qu'ils allaient transférer Peter dans l'unité de soins intensifs du service de traumatologie, afin de pouvoir continuer à le surveiller de près.

— Je pense que vous pouvez rentrer chez vous et vous reposer un peu. Il fait des progrès réguliers. Je vous conseille de revenir demain matin.

— Est-ce que je peux dormir ici ?

— Si vous y tenez vraiment. Il devrait finir par s'endormir. Nous lui administrerons peut-être même un sédatif, s'il va un peu mieux. Vous, vous avez grand besoin de repos, vous avez eu une journée éprouvante.

Il ne pouvait s'empêcher de ressentir de la compassion pour cette femme. En règle générale, il s'efforçait de mettre une barrière entre ses patients et leur famille, mais Liz le touchait malgré lui.

— Avez-vous d'autres enfants ? s'enquit-il. Vous feriez peut-être bien d'aller les rejoindre, ajouta-t-il lorsqu'elle eut acquiescé. Ils doivent être inquiets, Peter était bien mal en point lorsqu'on l'a amené. Ont-ils assisté à l'accident ?

— Je crois que oui. Je vais appeler pour les rassurer.

— Pourquoi ne pas rentrer chez vous un moment ? Je vous téléphonerai s'il se passe quoi que ce soit, insista Bill Webster.

— Vous allez rester ici ?

Liz ne l'aimait pas, mais elle lui faisait confiance.

— Toute la nuit et jusqu'à demain midi. Je vous le promets.

Il lui sourit, et elle constata avec surprise qu'il était plutôt séduisant lorsqu'il se détendait un peu.

— Ça me rend malade de le laisser, avoua-t-elle.

— Mais ça vous fera du bien, et de toute façon dans quelques minutes nous allons le transférer aux soins intensifs. Vous ne feriez que nous gêner.

Cette fois, loin de se vexer de ses manières abruptes, Liz lui sourit. Puis elle s'approcha de Peter, et lui expliqua qu'elle allait voir ses frère et sœurs.

— Je reviendrai aussi vite que possible, promis, lui dit-elle.

Peter eut un faible sourire.

— Pardon, maman, répéta-t-il. Vraiment idiot...

— Tu as beaucoup de chance. Et je t'aime. Alors dépêche-toi de te rétablir.

— Dis à Jamie que ça va, ajouta Peter au prix d'un effort surhumain.

C'était la plus longue phrase qu'il avait prononcée depuis son réveil.

— Promis. A plus tard, mon chéri.

— Je vais bien.

Il essayait de la rassurer, ce qui était bon signe. Cela signifiait qu'il était conscient de ce qui se passait autour de lui et des implications de son accident.

— Je compte sur toi pour courir dans le couloir à mon retour, d'accord ? dit-elle, ce qui le fit rire.

Après l'avoir embrassé, elle sortit de la pièce, le Dr Webster sur ses talons.

— Il a beaucoup de chance, dit-il sans dissimuler son admiration pour Liz, qui n'avait pas faibli un instant. Pendant un moment, j'ai vraiment cru qu'il ne s'en tirerait pas sans une intervention chirurgicale — et en tout cas, pas si vite. Il est jeune et en bonne santé, ce qui a joué en sa faveur, mais peut-être l'avez-vous aidé en restant près de lui et en lui parlant comme vous l'avez fait, qui sait ?

— En tout cas, je remercie Dieu qu'il soit sorti du coma, soupira Liz qui se sentait toute faible rien qu'à l'idée de ce qui aurait pu se produire.

— Je ne serais pas étonné qu'il reste ici deux bonnes semaines, alors essayez d'éviter de vous épuiser tout à fait. Honnêtement, si vous voulez vous reposer et ne revenir que demain matin, cela ne posera pas de problème.

— Merci, mais je préfère dormir ici. Je vais quand même rentrer voir les autres enfants et vérifier que tout va bien à la maison ; je serai de retour dans deux heures environ.

— Combien avez-vous d'enfants ?

Cette femme l'intriguait. Il ne la connaissait pas, mais il était évident que c'était une très bonne mère, et qu'elle aimait profondément son fils.

— Cinq, répondit Liz. Peter est l'aîné.

— Laissez votre numéro de téléphone à l'accueil du service, je vous appellerai s'il y a du nouveau. Et si, une fois chez vous, vous décidez de rester vous reposer, ne culpabilisez pas. Vos autres enfants risquent d'être traumatisés, surtout s'ils ont vu ce qui s'est passé. Quel âge a le plus jeune ?

— Dix ans. Et les trois autres ont onze, treize et quatorze ans.

— Vous ne devez pas chômer.

— Ce sont de bons enfants, se contenta-t-elle de répondre.

Bill Webster faillit ajouter qu'ils avaient une bonne mère, mais il s'abstint. Il prit congé et alla rejoindre Peter pendant qu'elle s'éloignait. Il était plus de vingt et une heures trente lorsqu'elle arriva chez elle, mais tous les enfants étaient encore debout. Les filles étaient installées autour de la table de la cuisine, en larmes, et Jamie était assis sur les genoux de Carole, livide et visiblement épuisé. Dès que Liz passa la porte, les quatre enfants se précipitèrent vers elle, scrutant son visage avec anxiété. En dépit de sa propre fatigue, elle leur sourit d'un air rassurant.

— Il va s'en tirer. Il a un gros traumatisme crânien, et l'une de ses vertèbres cervicales est fêlée, mais tout va s'arranger. Il a beaucoup de chance.

— Est-ce qu'on peut aller le voir ? demandèrent-ils en chœur.

— Pas encore.

Carole proposa à Liz une part de tourte à la viande qui restait du dîner, mais la jeune femme se sentait incapable d'avaler quoi que ce fût.

— Quand est-ce qu'il va rentrer à la maison ? demanda Megan d'un air anxieux.

— Pas avant deux semaines, peut-être même plus. Tout dépend de ses progrès.

Ils voulaient tout savoir, mais elle leur épargna les horreurs de l'après-midi. Une seule chose importait : qu'il eût survécu. Liz et les enfants restèrent dans la cuisine près d'une heure, puis les plus jeunes montèrent à l'étage. Carole en profita pour dire à Liz combien elle était désolée. Elle se sentait responsable de ce qui s'était passé.

— Ne dites pas de bêtises, répondit Liz, presque trop épuisée pour discuter avec elle et apaiser sa culpabilité, mais consciente que c'était son devoir. Vous ne pouvez pas tout contrôler. Il est clair qu'ils ont chahuté trop violemment. Peter a simplement beaucoup de chance de ne pas être paralysé, ou pire.

— Oh, mon Dieu ! gémit Carole. Il va vraiment s'en sortir, n'est-ce pas ?

De grosses larmes coulaient sur ses joues et elle se moucha bruyamment.

— Les médecins pensent que oui. Il n'a repris connaissance qu'il y a deux heures environ, mais il arrive à parler maintenant. Pendant un moment, là-bas, j'ai cru…

Elle s'interrompit, incapable d'aller plus loin, et Carole hocha la tête, les larmes aux yeux. Elle aussi avait eu horriblement peur, surtout pendant les longues heures où elle était demeurée sans nouvelles de Liz ; elle avait été certaine alors que le pire était sur le point de se produire. Et de fait, ils n'étaient pas passé loin.

— J'y retourne, déclara Liz. Je vais monter préparer quelques affaires.

— Pourquoi ne dormez-vous pas ici ? Vous avez l'air épuisée, Liz. Si vous voulez passer la journée avec lui demain, il faut que vous vous reposiez.

— C'est ce qu'a dit le médecin, mais je veux être avec lui ce soir. Même à dix-sept ans, ce doit être une expérience traumatisante, et il souffre beaucoup.

— Le pauvre ! Quelle façon affreuse de finir l'été... Vous pensez qu'il sera capable de reprendre l'école en septembre ?

— Nous n'en savons encore rien.

Le lycée était, à vrai dire, le dernier des soucis de Peter pour l'instant. Ils avaient passé un après-midi si cauchemardesque... Liz avait l'impression d'avoir été heurtée de plein fouet par un train, et cela se lisait sur ses traits ravagés. Carole, qui la regardait en silence, en eut le cœur serré.

Liz monta à l'étage et alla embrasser Jamie, mais ce dernier dormait déjà à poings fermés. Les filles aussi étaient au lit. La maison paraissait si calme sans Peter... La tête basse, Liz entra dans sa chambre et s'assit sur son lit. Elle voulait préparer un sac avec quelques vêtements et ses affaires de toilette, mais tout à coup elle se sentait incapable de bouger. Elle ne pouvait que repenser à ce qui avait failli se produire et sangloter de soulagement. Il était plus de vingt-trois heures quand, enfin, elle trouva la force de faire son sac, et minuit lorsqu'elle arriva à l'hôpital. Elle avait pris quelques minutes avant de partir pour appeler sa mère, qui avait été horrifiée en apprenant l'accident de son petit-fils.

— Mon Dieu, est-ce qu'il va s'en sortir ? avait-elle demandé d'une voix étranglée.

Liz l'avait rassurée et lui avait promis que Peter la rappellerait lui-même lorsqu'il irait mieux.

Le jeune homme était réveillé quand elle arriva à l'hôpital, et son état continuait à s'améliorer petit à petit. A son arrivée dans l'unité de soins intensifs,

Liz le trouva occupé à discuter presque normalement avec une infirmière.

— Bonsoir, m'man, dit-il dès qu'il la vit. Comment va Jamie ?

— Bien. Ils m'ont tous demandé de te dire qu'ils t'aimaient. Ils voulaient venir te voir, il a fallu que j'insiste pour qu'ils attendent un peu, sans quoi ils seraient là avec moi.

L'infirmière lui installa un lit dans un coin de la salle d'attente, et elle s'y allongea sans quitter le jogging qu'elle avait passé avant de partir de chez elle. On avait promis de venir la réveiller si Peter avait besoin d'elle ou si son état empirait subitement. Mais c'était peu probable. Toutes les données fournies par les moniteurs étaient encourageantes, et il parlait de mieux en mieux.

Liz était sur le point de sombrer dans le sommeil lorsqu'elle vit Bill Webster entrer dans la pièce où elle se trouvait. Elle se redressa aussitôt, paniquée, le cœur battant à se rompre.

— Que s'est-il passé ?

— Rien. Tout va bien. Je ne voulais pas vous faire peur, j'étais seulement venu voir si vous n'aviez besoin de rien... Quelque chose pour vous aider à dormir, peut-être ?

Il parut hésiter, et Liz lui fut reconnaissante de cette sollicitude visiblement inhabituelle.

— J'ai tout ce qu'il me faut, merci, répondit-elle, apaisée. Et merci aussi pour tout ce que vous avez fait. Je crois que je vais dormir sans trop de difficultés.

De fait, elle avait l'air épuisée, ce qui n'avait rien de surprenant, vu l'après-midi qu'elle avait passé.

— Je suis heureux qu'il s'en sorte aussi bien, dit Bill Webster avec sincérité.

— Moi aussi. Je ne sais pas comment nous aurions fait pour tenir le coup, dans le cas contraire.

— Votre mari a-t-il été malade très longtemps ? demanda le médecin, qui s'imaginait que le père de Peter avait succombé à un cancer.

Liz secoua la tête.

— Il a été tué par le mari d'une de nos clientes. Le jour de Noël.

Aussitôt, Bill Webster se souvint de l'affaire, et il acquiesça en silence. Il ne savait que dire.

— Je suis désolé pour vous, déclara-t-il enfin. Je me rappelle en avoir entendu parler à l'époque.

Il prit congé et éteignit la lumière de la salle d'attente pour qu'elle puisse se reposer. Il ne pouvait s'empêcher d'admirer Liz Sutherland. Malgré ce qui lui était arrivé, elle parvenait encore à travailler, à s'occuper de ses enfants, à continuer à vivre... Il retourna auprès de Peter et sourit. Le jeune homme s'en sortait bien. Satisfait, Bill se dirigea vers son bureau où l'attendaient des papiers à signer. Il aimait les journées comme celle-ci, les journées où l'on gagnait au lieu de perdre. C'était dans des moments pareils qu'il se réjouissait d'avoir choisi d'exercer ce métier. Pour une fois, le destin s'était montré clément envers son patient.

Il se carra dans son fauteuil et ferma les yeux une minute. Puis il les rouvrit et signa les ordonnances placées sur la table devant lui. Il avait encore une longue nuit devant lui, mais cela ne le dérangeait pas. Tout se passait bien, cette fois, et il était heureux.

7

Liz dormit tant bien que mal durant quelques heures dans la salle d'attente où l'avait laissée Bill Webster, et elle était au chevet de Peter avant que celui-ci ne se réveille. Quand, enfin, il émergea du sommeil, il avait un mal de tête épouvantable, et se plaignit également de son cou qui le faisait souffrir.

Le Dr Webster vint le voir à six heures du matin, comme il l'avait fait toutes les heures durant la nuit. Tout lui parut en ordre. Le neurochirurgien passa lui aussi dans le courant de la matinée et se déclara satisfait de ses progrès. Il dit à Liz que son fils avait beaucoup de chance.

Elle aida les infirmières à le laver et ne retourna chez elle qu'en début d'après-midi. Les filles avaient mille questions à lui poser, mais dès son arrivée Liz constata l'absence de Jamie. Elle demanda à Carole où il se trouvait, et la gouvernante répondit qu'elle ne l'avait pas vu depuis le petit déjeuner. Luttant contre la panique, Liz entreprit de fouiller la maison et trouva le petit garçon assis dans un coin de sa chambre.

— Bonjour, mon ange ! Qu'est-ce que tu fais tout seul ici ?

Son inquiétude s'accrut lorsque Jamie tourna vers elle un visage désespéré. Le cœur serré, elle alla s'asseoir près de lui sur le sol et prit sa main dans la sienne.

— Peter m'a dit de t'embrasser très fort pour lui. Il va essayer de rentrer à la maison très bientôt.

Mais Jamie se contenta de secouer la tête, tandis que deux grosses larmes coulaient sur ses joues et atterrissaient sur ses genoux.

— C'est pas vrai. Il est parti, comme papa. J'ai rêvé de lui la nuit dernière.

— Regarde-moi, Jamie.

Du bout du doigt, elle l'obligea à tourner son visage vers elle et à plonger son regard dans le sien.

— Je ne te raconte pas d'histoires. Peter va très bien s'en sortir. Il s'est fait mal au cou et il a un gros gros mal de tête. Mais je te promets qu'il va revenir.

Il y eut un long silence, durant lequel l'enfant scruta son regard.

— Est-ce que je peux le voir ?

Liz réfléchit rapidement, songeant aux tubes, aux moniteurs, à tout l'appareillage qui entourait encore Peter. Cela risquait de donner des cauchemars au petit Jamie, mais n'était-il pas souhaitable qu'il constate de visu que son frère était vivant ?

— Si tu y tiens vraiment, répondit-elle enfin. Mais je te préviens, il y a beaucoup de machines autour de lui, et elles font de drôles de bruits. Et il a une aiguille dans le bras reliée à un tube.

— Quel genre de tube ? demanda Jamie, plus curieux qu'effrayé.

— Disons, comme une paille, tu vois ?

— Est-ce qu'ils me laisseront lui parler ?

A priori, les enfants n'étaient pas autorisés à entrer dans le service des soins intensifs, mais Liz décida d'expliquer la situation à Bill Webster et de lui demander de faire une exception pour Jamie. Il lui avait dit qu'il serait encore de service ce soir-là, et elle avait promis à Peter de revenir passer la nuit près de lui.

— Je demanderai la permission, dit-elle à Jamie avant de le serrer tendrement contre son cœur. Je t'aime, Jamie. Tout va bien se passer, tu verras.

— Tu promets qu'il ne va pas s'en aller comme papa ?

— Oui, je te le promets, répondit-elle en luttant contre ses larmes.

— Croix de bois, croix de fer ?

— Si je mens je vais en enfer. Quand je verrai le médecin ce soir, je lui dirai que tu as envie de voir ton grand frère. En attendant, nous pourrions appeler Peter, qu'en dis-tu ?

— Je pourrai lui parler ?

— Bien sûr, affirma-t-elle, songeant que cela rassurerait également les filles.

Jamie et elle descendirent au rez-de-chaussée et après avoir réuni les trois filles, elle composa le numéro de l'hôpital et demanda l'unité de soins intensifs du service de traumatologie.

Une infirmière apporta le téléphone à Peter. Ce dernier avait la voix rauque et faible, mais il s'exprimait à peu près normalement et promit de rentrer à la maison aussi vite que possible. Il demanda à ses sœurs de ne pas faire de bêtises en son absence, puis il dit à Jamie de faire bien attention en jouant dans la piscine. Lui-même avait été très bête et le garçonnet ne devait jamais chercher à l'imiter.

— Vous me manquez tous, conclut-il. Je ne vais plus tarder à rentrer, ne vous inquiétez pas.

— Maman a dit qu'elle allait demander au docteur de me permettre de venir te voir, annonça fièrement Jamie.

Peter eut l'air content. Liz intervint alors pour lui dire qu'elle serait près de lui dans quelques heures. S'il ne se sentait pas trop mal, elle voulait rester dîner avec les enfants.

— Pas de problème, m'man. Est-ce que tu peux m'apporter quelque chose à manger ?

— Comme quoi ?

Il était toujours nourri par perfusion et n'avait jusqu'alors ingéré que du liquide. Les médecins avaient parlé de commencer à lui donner de la compote dans l'après-midi, mais cette perspective ne le séduisait guère.

— Un cheeseburger ? suggéra-t-il.

Sa mère éclata de rire.

— Tu dois te sentir bien mieux, dis-moi !

Ses progrès étaient immenses : la veille à la même heure, elle était encore à son chevet en train de le supplier d'ouvrir les yeux, tandis qu'il flottait dans un autre monde.

— Je crois qu'il va te falloir attendre encore un jour ou deux, mon chéri.

— J'étais sûr que tu dirais ça, soupira-t-il, visiblement déçu.

— A tout à l'heure.

Elle retourna auprès de ses autres enfants, et Jamie s'installa sur ses genoux un moment. Il semblait rassuré ; parler avec son frère lui avait fait du bien. Il ne tarda d'ailleurs pas à aller jouer dehors, et Liz en profita pour appeler le cabinet. Selon Jane, il ne s'y passait rien d'excitant. Elle avait réussi à reporter à la semaine suivante une intervention au tribunal et quelques rendez-vous ; tout allait bien. Cependant, cela ne faisait que rappeler à Liz que, désormais, tout reposait exclusivement sur ses épaules. Il n'y avait personne pour la remplacer, pour gérer ses dossiers en cas de coup dur. Les enfants, son travail, tout dépendait d'elle, songeait-elle ce soir-là en reprenant le chemin de l'hôpital.

Bill Webster était là et il lui sourit en la voyant, mais il paraissait débordé et ne lui fit qu'un bref signe de la main avant de s'éloigner dans le couloir. Il ne revint voir Peter qu'une bonne heure plus tard.

— Comment va notre patient préféré ? demanda-t-il à Liz.

— Il a demandé un cheeseburger. Je pense que c'est bon signe, pas vous ?

Peter se plaignait toujours d'avoir mal à la tête, mais on lui avait donné des médicaments contre la douleur qui semblaient faire de l'effet, et elle lui avait massé doucement les épaules pendant un moment.

— Un cheeseburger ? Cela me paraît très encourageant en effet. Demain, d'accord, Peter ?

— Vraiment ? demanda le jeune homme d'un air ravi.

— Ça devrait pouvoir se faire. Dans quelques jours, nous allons commencer la rééducation de ton cou, alors autant que tu reprennes des forces d'ici là, si ton estomac n'y voit pas d'objection.

C'était une excellente nouvelle pour Peter, qui détestait le bouillon et la compote.

Bill Webster jeta un coup d'œil aux diagrammes placés au pied du lit de son patient, étudia les différents moniteurs avec attention et prit quelques notes avant de quitter de nouveau l'unité de soins intensifs. Liz le suivit : elle voulait lui demander l'autorisation d'emmener Jamie voir son grand frère le lendemain après-midi.

— J'ai une faveur à vous demander, commença-t-elle prudemment.

Bill Webster s'immobilisa pour l'écouter. Il portait une blouse bleue, et ses cheveux ne semblaient pas avoir vu un peigne depuis des jours. Il avait passé tout l'après-midi à soigner les victimes d'une collision frontale dans laquelle cinq adultes et trois enfants avaient été blessés. Deux des enfants étaient morts dans la soirée. Ç'avait été aussi horrible que déprimant, et il accusait le coup.

— Je sais que les enfants n'ont pas le droit de rendre visite aux patients en soins intensifs, continua Liz.

Il hocha la tête avec un soupçon d'impatience. Si les enfants n'étaient pas autorisés dans le service, c'était pour une bonne raison : ils représentaient de véritables nids à microbes, et ses patients, dans leur état, n'étaient pas en mesure de lutter contre les infections. Mais Liz le regardait avec une expression très sérieuse.

— Nous avons tous eu une année difficile, depuis la mort de mon mari, expliqua-t-elle, et mon benjamin réagit très violemment à ce qui est arrivé à Peter.

— Quel âge a-t-il ?

— Dix ans.

Liz hésita un instant. Elle ne savait pas si elle devait tout dire au médecin, mais en fin de compte elle décida de se confier à lui.

— Il a des difficultés d'apprentissage. Il est né prématurément et a souffert d'un grave manque d'oxygène au moment de l'accouchement qui a entraîné des dommages irrémédiables. Il a assisté à l'accident hier et depuis il est persuadé que Peter ne va pas revenir, comme son père. Cela l'aiderait énormément de pouvoir le voir.

Bill Webster la regarda en silence pendant ce qui lui sembla une éternité, puis il hocha la tête. Il se rendait compte que ses enfants et elle avaient été très éprouvés.

— Que puis-je faire pour vous aider ? demanda-t-il avec douceur. Vous êtes débordée, n'est-ce pas ?

Sa sollicitude la prit au dépourvu et elle sentit des larmes lui monter aux yeux. Il lui fallut se détourner un instant pour reprendre contenance avant de répondre.

— Laissez Jamie voir Peter, dit-elle enfin.

— Quand vous voudrez. Et les autres ? Comment réagissent-ils ?

Il était clair que la famille avait terriblement souffert à la mort de Jack Sutherland, et il souhaitait soulager Liz de son mieux. Il réalisait soudain ce que Peter représentait pour sa mère et pour ses frère et sœurs, et cela l'aidait à mieux comprendre ce qu'il avait vu la veille.

— Je crois que les filles comprennent. Bien sûr, cela les rassurerait aussi de voir leur frère, mais je ne veux pas abuser… C'est surtout très important pour Jamie.

— Amenez-le quand vous voudrez.

— Merci, répondit-elle, émue.

Elle retourna ensuite auprès de Peter et resta avec lui jusqu'à ce qu'il s'endorme, après quoi elle alla s'allonger sur un canapé de la salle d'attente. Il faisait sombre dans la pièce, mais elle était encore éveillée lorsque Bill ouvrit la porte. Il ne pouvait pas voir si elle dormait et craignait de la déranger ; aussi demeura-t-il immobile à la regarder un long moment avant de parler.

— Liz ? demanda-t-il enfin.

C'était la première fois qu'il l'appelait par son prénom et elle se redressa, aussitôt inquiète pour Peter.

— Il y a un problème ?

Elle posa les pieds sur le sol et rejeta la couverture que lui avaient donnée les infirmières.

— Non, tout va bien. Je suis désolé, je ne voulais pas vous faire peur, je venais seulement vérifier que vous alliez bien… Je me demandais si vous n'aviez pas envie d'une tasse de thé ou quelque chose comme ça. Est-ce que je vous ai réveillée ?

— Non, je ne dormais pas. Mon sommeil n'est plus ce qu'il était…

Elle s'interrompit, mais il avait compris sans peine à quoi elle faisait allusion.

— Peut-être en effet qu'un thé ou une soupe me ferait du bien.

Il y avait un distributeur automatique de boissons chaudes dans le couloir. Mais Bill l'invita à le suivre dans son bureau, où une infirmière leur apporta une théière.

Liz s'assit dans un fauteuil face au médecin. Elle se sentait fatiguée, froissée et décoiffée, mais Bill

Webster ne semblait pas homme à se formaliser pour si peu. En fait, après avoir travaillé pendant près de quarante-huit heures sans interruption, il avait encore plus mauvaise mine qu'elle.

— Vous êtes avocate, m'avez-vous dit. Quelle est votre spécialité ? s'enquit-il en portant sa tasse à ses lèvres.

— Le droit familial… Les divorces…

Il hocha la tête d'un air entendu.

— J'ai connu ça, mais c'était il y a longtemps, dit-il avec un petit sourire.

— Vous êtes divorcé ?

Comme il acquiesçait en silence, elle ajouta :

— Des enfants ?

— Non. Nous n'avons pas eu le temps… Quand je me suis marié, j'étais chef de clinique et ma femme interne. Cela n'empêche pas certaines personnes de fonder une famille, mais moi je trouvais ça idiot. Je me disais toujours que j'aurais des enfants quand je pourrais en profiter, passer du temps avec eux, vous voyez ce que je veux dire. Vers quatre-vingts, quatre-vingt-dix ans… conclut-il avec un sourire empreint d'autodérision.

Il avait un sourire attachant et pouvait se montrer plus agréable qu'elle ne l'aurait cru. La veille, il lui avait paru antipathique, brusque, froid, indifférent ; mais elle comprenait à présent que c'était uniquement parce qu'il avait beaucoup de choses en tête. Dans son métier, chaque seconde comptait, et toute décision pouvait avoir des conséquences désastreuses. Il était indispensable qu'il parvînt à obtenir rapidement des familles de ses patients les informations qu'il souhaitait, et sans doute était-ce pour cela qu'il se montrait professionnel et distant.

— Je suis divorcé depuis dix ans, lui expliqua-t-il alors.

Liz faisait souvent cet effet-là aux gens : elle les poussait aux confidences. Ainsi, il n'était pas rare que ses clients lui donnent plus d'informations qu'elle n'en avait demandé, mais elle ne s'en plaignait pas, car cela se révélait souvent utile au cours d'un procès.

— Vous n'avez jamais eu envie de vous remarier ? s'enquit-elle avec intérêt.

— Ni l'envie ni le temps. Je crois que ma première expérience m'a vacciné. Notre divorce a été plutôt amer… Ma femme a eu une liaison avec mon chef de service, ce que j'ai assez mal digéré. Tout le monde à l'hôpital l'a su avant moi et m'a pris en pitié. Ils ont fini par se marier, et maintenant ils ont trois enfants. Elle a laissé tomber la médecine assez vite, ce n'était qu'un passe-temps pour elle. Nous étions très différents.

C'était le moins qu'on pouvait dire.

— Mon mari et moi avons exercé ensemble pendant dix-huit ans, et nous y prenions beaucoup de plaisir. Je trouve qu'il est agréable d'être dans le même domaine que son conjoint, dit Liz en s'efforçant de ne pas trop penser à Jack.

Elle était fatiguée et avait les nerfs à vif, et elle savait qu'elle éclaterait en sanglots si Bill Webster lui posait trop de questions sur son mari.

— Pour être honnête, poursuivit-elle, Jack était plus passionné que moi par le droit familial. Moi, j'ai toujours été attirée par les œuvres philanthropiques, les causes sans espoir, la lutte pour les opprimés… Mais lui savait parfaitement ce qui rapportait, et il avait raison : nous avions cinq enfants à charge.

— Et maintenant ? Vous continuez à vous occuper de divorces ?

Comme elle hochait la tête, il fronça les sourcils d'un air perplexe.

— Pourquoi ? Vous pourriez faire n'importe quoi d'autre.

— Pas exactement, répondit-elle en souriant. J'ai toujours cinq enfants, leurs pieds sont de plus en plus grands et leurs chaussures de plus en plus chères… Sans parler de leur éducation. Un de ces jours, je vais me retrouver avec quatre étudiants à l'université. Jack avait raison, le droit familial est un domaine très lucratif, même si ça me déprime parfois. Quand vous vous occupez d'un divorce, vous voyez les gens sous leur plus mauvais jour. Les plus gentils deviennent des monstres pour se venger de leur conjoint. Mais quelque part, j'ai l'impression que j'ai le devoir de continuer, pour Jack. Il a travaillé extrêmement dur pour monter ce cabinet, je ne peux pas tout laisser tomber maintenant.

Pas plus qu'elle ne pouvait laisser tomber la maison, les enfants, toutes les responsabilités écrasantes qu'elle devait désormais assumer seule.

— Vous n'envisagez jamais de changer de spécialité ? demanda Bill, intrigué.

Cette femme était intelligente, sympathique et très belle. Il y avait chez elle une douceur qui le séduisait, et son amour pour son fils l'avait ému.

— Si, parfois, admit-elle, mais pas très souvent. Et vous ? demanda-t-elle.

Il remplit leurs deux tasses tout en secouant la tête.

— Jamais. J'adore mon métier. On ne peut pas imaginer plus exigeant, il faut constamment prendre des décisions en une fraction de seconde, et elles doivent être les bonnes. Les enjeux sont énormes, et l'on ne peut pas se permettre de se tromper. Ça m'oblige à être le meilleur possible en permanence. J'aime ça.

— Il vous faut gravir l'Everest chaque jour... Ce doit tout de même être déchirant, parfois.

Elle pensait à Peter, la veille. Ils auraient pu le perdre si facilement ! Et elle avait également entendu parler des deux enfants accidentés morts dans la soirée.

— C'est déchirant bien trop souvent, reconnut Bill. J'ai horreur de perdre.

— Jack était pareil, dit-elle en souriant. Bien sûr, moi non plus je n'adore pas les échecs, mais chez lui, c'était une véritable phobie... Il prenait tout revers comme un affront personnel. Il fallait toujours qu'il gagne, à chaque fois, et c'est sans doute ce qui lui a coûté la vie. Il a poussé dans ses derniers retranchements un type instable qui a perdu la raison. C'était ce que je craignais... Je l'avais prévenu, mais il n'a pas voulu m'écouter. Je suppose que personne n'aurait réellement pu prévoir ce qui s'est passé. La réaction du mari de notre cliente était complètement folle. Mais de fait, il était fou. Il a tué sa femme, puis mon mari, et s'est tiré une balle dans la tête.

La scène s'imposa à son esprit et elle ferma les yeux, sous le regard compatissant de Bill.

— Ça a dû être un cauchemar pour vous et vos enfants.

— C'est encore le cas, parfois. Il va nous falloir longtemps pour nous remettre de ce traumatisme, même si ça commence à aller mieux. Jack et moi avons été mariés dix-neuf ans, ce n'est pas quelque chose qui peut s'oublier en quelques mois. Et nous avons été très heureux.

— Vous avez eu de la chance, observa Bill.

Lui n'avait jamais éprouvé de tels sentiments, ni pour la femme qu'il avait épousée, ni pour les deux compagnes qu'il avait eues par la suite. Et depuis, il avait cessé de chercher l'amour. Des femmes passaient dans sa vie de temps en temps, mais jamais il ne s'attachait réellement à elles. Cela lui semblait plus simple et plus sûr.

— Oui, nous avons eu beaucoup de chance, acquiesça Liz avant de se lever et de le remercier pour le thé. Je crois que je ferais mieux d'essayer de dormir un peu avant que Peter ne se réveille. J'avais l'intention de passer au bureau demain matin et de revenir en début d'après-midi avec Jamie.

— Je serai là, répondit Bill en souriant. Et je tiens à rencontrer Jamie lors de sa visite.

Elle lui rendit son sourire et se dirigea vers la porte. Au moment de la franchir, cependant, elle se retourna et regarda le médecin.

— Merci de m'avoir écoutée, dit-elle. Cela fait parfois du bien de parler.

— Quand vous voudrez, Liz.

En vérité, il ne l'avait pas fait seulement pour elle. Il aimait discuter avec elle, et il s'était pris d'affection pour son fils. Il regrettait seulement que tous deux aient connu tant de souffrances.

Liz retourna sur le canapé de la salle d'attente, mais pendant un long moment elle demeura éveillée. Elle songeait à Bill et à l'existence solitaire et exigeante qu'il menait. Ce n'était pas une vie facile mais, de fait, la sienne ne l'était pas non plus, en ce moment, entre les enfants et son travail. Elle finit par s'endormir et rêva de Jack. Ce dernier essayait de lui faire passer un message ; il montrait quelque chose du doigt et essayait de la prévenir d'un danger imminent. Quand elle se retourna dans la direction qu'il indiquait, elle vit Peter effectuer un plongeon parfait dans une piscine vide. Elle se réveilla en sursaut, en proie à un sentiment de panique indescriptible.

Chaque matin, à son réveil, elle passait par ce moment horrible où elle se souvenait instinctivement que quelque chose d'affreux s'était produit. Puis, l'instant d'après, elle mettait des images sur cette sensation : Jack était mort. Encore maintenant, elle détestait se réveiller le matin. C'était pour cette raison qu'elle avait tant de mal à s'endormir le soir : elle savait que le lendemain, il lui faudrait à nouveau faire face à la douloureuse réalité.

Elle se coiffa et se lava les dents et le visage, mais elle se sentait toujours chiffonnée et peu présentable. Elle se rendit néanmoins directement au chevet de Peter, et le trouva réveillé. Il se plaignait d'avoir faim et de ne trouver personne pour lui donner à manger. En fin de compte, une infirmière lui apporta un bol de flocons d'avoine. Liz l'aida à se redresser un peu et porta une cuillerée de bouillie à ses lèvres.

— Pouah ! s'exclama-t-il en esquissant une grimace cocasse. C'est dégoûtant !

— Allons, sois gentil et mange. C'est bon pour toi, le réprimanda-t-elle en riant.

Mais il serra les dents et pinça les lèvres comme un enfant capricieux, et elle reposa la cuillère en riant.

— De quoi avais-tu envie ? s'enquit-elle.

— De gaufres.

Le cœur de Liz se serra. Elle n'avait plus fait de gaufres depuis le matin de la mort de Jack, elle s'en était sentie incapable, et les enfants avaient compris sa réaction et n'en avaient pas réclamé. Mais cette fois, Peter avait visiblement oublié.

— Et de bacon, ajouta-t-il. J'ai horreur des flocons d'avoine.

— Je sais, mon chéri. Peut-être qu'ils vont commencer à te nourrir normalement, aujourd'hui ? J'en parlerai au Dr Webster.

— Je crois qu'il t'aime bien, dit Peter en souriant à sa mère.

— Je l'aime bien aussi. Il t'a sauvé la vie, et il n'en faut guère plus pour m'impressionner favorablement !

— Je veux dire qu'il *t'aime bien*, tu sais ? Je le regardais t'observer à la dérobée, hier.

— Tu délires, mon chéri, mais tu es mignon quand même, va. Bien que tu refuses de manger tes céréales.

— Et s'il t'invitait à dîner ou à sortir un soir, tu irais ? insista Peter avec un petit sourire.

— Ne sois pas ridicule. C'est ton médecin, pas un Roméo de lycée. Je me demande si ce choc à la tête ne t'a pas sérieusement secoué le cerveau, en fin de compte.

Elle ne prenait pas réellement au sérieux ce qu'il lui disait. Bill Webster était un homme sympathique, et ils avaient eu une conversation agréable la veille au soir, mais cela ne signifiait rien, ni pour lui ni pour elle.

— Tu irais, m'man ? répéta Peter.

Elle se contenta de rire, refusant de répondre à cette question. C'était inutile ; l'idée même était absurde.

— Non, je n'irais pas, dit-elle enfin. Je n'ai pas envie de sortir avec qui que ce soit et lui n'a pas non plus la moindre envie de sortir avec moi. Alors arrête de jouer les entremetteurs et concentre-toi sur ta convalescence, veux-tu ?

Elle aida ensuite les infirmières à lui faire sa toilette, puis elle partit au bureau. Jane avait réglé autant de problèmes que possible, et par chance, il n'y avait rien de particulièrement urgent cette semaine-là. On était au milieu du mois d'août, la plupart des gens étaient encore en vacances et ne reviendraient qu'après la fête du travail.

Dans l'après-midi, elle rentra chez elle voir les enfants et elle prit son dîner avec eux. Elle avait eu Peter au téléphone à plusieurs reprises durant la journée, et il semblait avoir le moral. Plusieurs de ses amis étaient allés lui rendre visite et lui avaient apporté à manger. Jessica et lui s'étaient séparés en juin, si bien qu'il n'avait pas de petite amie pour l'instant, mais la compagnie de ses amis lui suffisait.

Pour la première fois depuis l'accident, Liz trouva le temps d'appeler Victoria, et elle téléphona également à sa mère, heureuse de pouvoir la rassurer. Comme à son habitude, Helen ne put s'empêcher de craindre le pire au sujet d'éventuelles séquelles ; Victoria, de son côté, demanda à son amie ce qu'elle pouvait faire pour l'aider. Bavarder quelques minutes avec elle fit du bien à Liz.

Ce soir-là après le dîner, elle prit une douche, se changea, puis elle dit à Jamie de mettre ses chaussures : elle l'emmenait voir son grand frère. Elle avait demandé aux filles d'attendre un jour de plus, car elle savait que leurs bavardages et leurs mille questions, aussi bien intentionnés fussent-ils, ne feraient qu'épuiser Peter. Jamie était d'une nature beaucoup plus calme, et elle savait qu'il avait encore besoin d'être rassuré, de constater par lui-même que son frère était vivant et en voie de rétablissement.

Sur le chemin de l'hôpital, Jamie ne dit rien. Il gardait les yeux fixés sur le paysage, et Liz songea qu'il paraissait un peu anxieux. Finalement, comme elle s'engageait sur le parking de l'hôpital, il se tourna vers elle.

— Est-ce que je vais avoir peur, maman ? demanda-t-il.

Emue, Liz le regarda longuement avant de répondre.

— Peut-être, dit-elle enfin avec honnêteté. Les hôpitaux sont des endroits un peu inquiétants, parce qu'il y a beaucoup de gens, de machines et de bruits bizarres. Mais Peter ne fait pas peur à voir. Il a simplement un drôle de collier autour du cou, et il est dans un grand lit qui monte et qui descend quand on appuie sur un bouton.

— Est-ce qu'il va revenir à la maison un jour ?

— Oui, mon bébé, très bientôt. Avant la rentrée des classes.

— Est-ce que c'est bientôt, ça ? demanda Jamie, qui n'avait pas une notion du temps très précise.

— Dans deux semaines environ, lui expliqua-t-elle. Peut-être même qu'il sera de retour avant. Allez, viens. Il y a un gentil médecin ici qui a envie de te rencontrer. Il s'appelle Bill.

— Est-ce qu'il va me faire une piqûre ? demanda Jamie d'un air paniqué.

Pour lui, cette visite n'était pas seulement une aventure, c'était une épreuve. Mais il aurait été prêt à marcher sur des braises pour voir Peter.

— Non, il ne va pas te faire de piqûre, le rassura sa mère avec un sourire attendri.

— Tant mieux, j'ai horreur de ça. Est-ce qu'il en a fait à Peter ? s'inquiéta-t-il.

— Plein. Mais Peter est grand, et ça ne le dérange pas.

Il ne détestait que deux choses : la compote et les flocons d'avoine. Heureusement, ses amis lui avaient apporté une pizza cet après-midi-là, et cela lui avait grandement remonté le moral.

— On y va, maintenant ? suggéra Liz.

Jamie hocha la tête et glissa sa main dans la sienne. Comme ils entraient dans le hall principal, il la serra fortement et elle sentit sa paume toute moite d'appréhension. Ils prirent l'ascenseur jusqu'au service de traumatologie. Au moment où ils sortaient, Jamie aperçut un homme allongé sur un lit roulant dans le couloir. Il se raidit aussitôt.

— Est-ce qu'il est mort, maman ? demanda-t-il dans un murmure horrifié en se rapprochant de sa mère.

Les yeux de l'homme étaient fermés, et une infirmière était debout près de lui.

— Non, mon chéri, tout va bien, il dort, c'est tout. Il ne va rien lui arriver, affirma Liz avant d'entraîner rapidement le petit garçon jusqu'aux soins intensifs.

Aussitôt arrivés, ils virent Peter assis dans son lit. Son visage s'éclaira lorsqu'il aperçut Jamie. Quant à ce dernier, il sourit jusqu'aux oreilles.

— Salut, mon grand ! s'exclama Peter. Viens vite m'embrasser !

Jamie courut vers lui, avant de s'immobiliser net en voyant toutes les machines qui l'entouraient. Il avait peur de s'approcher.

— Allez, viens, l'encouragea Peter. Encore un grand pas !

Jamie franchit la distance comme s'il avait dû enjamber un fossé plein de serpents. Dès qu'il fut à sa portée, Peter l'attira à lui et le serra dans ses bras. Il sourit et l'embrassa. Liz s'approcha et vit que Jamie était aux anges.

— Ce que tu m'as manqué ! déclara Peter.

— Toi aussi tu m'as manqué, répondit Jamie. Je pensais que tu étais mort, mais maman m'a dit que non. Au début, je ne la croyais pas, c'est pour ça qu'elle m'a amené ici pour te voir.

— Eh oui, je suis bien vivant ! Cela dit, c'était vraiment idiot de ma part de sauter dans la piscine comme je l'ai fait. Tu as intérêt à ne pas commettre la même bêtise, sans quoi tu me rendras des comptes personnellement ! Quoi de neuf, à la maison ?

— Rien d'intéressant. Les filles n'arrêtent pas de raconter à tout le monde ce qui t'est arrivé. Elles pleuraient toutes les trois quand ils t'ont emmené dans l'ambulance, et moi aussi, avoua Jamie en décochant à son grand frère un regard empreint de soulagement. Est-ce que je peux faire monter et descendre ton lit ? ajouta-t-il, plein d'espoir.

Il regarda autour de lui. Il y avait d'autres personnes dans le service, mais les rideaux entourant leurs lits étaient tirés et il ne pouvait pas les voir.

— Bien sûr.

Peter lui montra où se trouvaient les boutons et comment s'en servir. Il réprima une grimace quand Jamie manipula le lit.

— Est-ce que ça fait mal ? demanda le petit garçon, fasciné.

— Un peu, admit Peter.

— Est-ce que tu veux t'allonger, maintenant ?

— Oui. Descends doucement, et je te dirai stop.

Jamie était concentré sur sa tâche lorsque Bill Webster entra dans la pièce. Il observa la scène avec intérêt ; son regard allait de Liz à ses deux fils. Peter venait de demander à Jamie de lâcher le bouton, et le petit garçon était satisfait d'avoir accompli son devoir. Il mourait d'envie de recommencer, mais Peter lui demanda d'arrêter : il avait plus mal qu'il ne voulait l'admettre.

— Bonjour, docteur, dit-il au médecin.

Jamie se retourna, une expression soupçonneuse sur le visage.

— Est-ce que vous allez vous coucher, vous aussi ? demanda-t-il en examinant la blouse verte et le pantalon lâche de Bill Webster.

— Non, c'est ce que je porte pour travailler. On dirait vraiment un pyjama, n'est-ce pas ? Ça a l'air un peu idiot, mais au moins je peux m'endormir quand je veux.

Bill taquinait Jamie, mais ce dernier le regarda avec de grands yeux sérieux. Bien que Peter fût roux et lui brun, les deux fils de Liz se ressemblaient de façon frappante.

— Présente-moi à ton frère, dit Bill à Peter, qui s'empressa d'obéir.

— Je ne veux pas de piqûre, expliqua Jamie, soucieux d'éviter d'emblée tout malentendu.

— Moi non plus, répondit Bill, qui demeurait à distance afin de ne pas l'effrayer. Je te promets de ne pas t'en faire, si tu ne m'en fais pas non plus.

Jamie éclata de rire.

— Promis, dit-il solennellement.

Puis, estimant sans doute qu'il lui revenait de faire la conversation, il ajouta :

— J'ai gagné trois médailles aux Jeux Olympiques Spéciaux. C'est maman qui m'a entraîné.

— Dans quelles disciplines ? demanda Bill avec intérêt.

— Le saut en longueur, le cent mètres et la course en sac, énuméra Jamie avec fierté sous le regard attendri de Liz.

— Ta maman doit être un sacrement bon entraîneur pour que tu aies gagné tout ça.

— Oh, oui ! Avec papa, je n'étais arrivé que quatrième. Il criait beaucoup plus que maman, mais maman m'a fait travailler plus longtemps et plus dur.

— La persévérance est une vertu essentielle, acquiesça Bill.

Liz rougit, un peu gênée d'entendre son fils vanter ses mérites.

— Ça a dû être très excitant, dis-moi, poursuivit le médecin.

— Oui !

Là-dessus, Jamie reporta son attention sur son frère et lui demanda s'il pouvait de nouveau actionner le lit. Peter acquiesça, quoique sans grand enthousiasme, et pendant que l'enfant, ravi, s'approchait des boutons, Bill et Liz sortirent un instant pour parler tranquillement.

— Comment va-t-il ? demanda-t-elle au médecin.

Elle trouvait encore Peter très fatigué, et elle voyait qu'il avait mal à la tête et au cou.

— Il s'en sort bien, la rassura Bill Webster. C'est mon patient vedette. Votre benjamin est un garçon adorable, ajouta-t-il en jetant un coup d'œil à Jamie à travers la vitre de l'unité de soins intensifs. Vous devez être fière de lui.

— Je le suis, admit-elle en souriant. Merci de m'avoir laissé l'amener. Il était vraiment paniqué au sujet de Peter, et ça l'a rassuré de le voir. Depuis l'accident, il ne riait plus.

— Il peut revenir quand il veut, du moment qu'il ne me fait pas de piqûre ! plaisanta Bill.

Liz éclata de rire, et ils retournèrent à l'intérieur. La jeune femme arracha Jamie au lit de son frère, au grand soulagement de ce dernier.

— Je crois qu'il est temps de rentrer à la maison, jeune homme. Peter a besoin de se reposer un peu, et toi aussi. Mais rassure-toi, le Dr Webster a dit que tu pourrais revenir quand tu voudrais.

— La prochaine fois, apporte une pizza, dit Peter avant d'embrasser son frère.

Ce dernier lui fit un dernier signe de la main avant de franchir la porte des soins intensifs, puis il se dirigea avec sa mère vers les ascenseurs. Ils attendaient lorsque Bill Webster les vit et s'approcha pour leur dire au revoir et remercier Jamie de sa visite.

— Ça m'a plu, déclara le petit garçon avec cette franchise désarmante qui faisait son charme. C'était cool. Je pensais que ça ferait peur, mais non. L'ambulance faisait beaucoup de bruit quand elle a emmené Peter, ajouta-t-il.

— Oui, c'est souvent le cas, acquiesça Bill. Mais ici, on est généralement au calme. N'hésite pas à revenir nous voir.

Il sourit, et Jamie hocha la tête.

— Mes sœurs viennent demain. Elles parlent beaucoup, elles risquent de fatiguer Peter.

Bill éclata de rire.

— Je m'assurerai qu'elles ne l'épuisent pas. Merci de m'avoir prévenu.

L'arrivée de l'ascenseur interrompit leur conversation, et Jamie fit un signe de la main au médecin au moment où les portes se refermaient. Cette fois, comme elle l'avait annoncé à Bill un peu plus tôt, Liz avait l'intention de dormir chez elle avec les enfants. Elle reviendrait voir Peter le lendemain.

Jamie était ravi de sa visite, comme il le lui dit sur le chemin du retour.

— J'aime bien le lit de Peter et son docteur. Il est gentil. Et lui aussi il déteste les piqûres, rappela-t-il à sa mère. Je crois que Peter l'aime bien aussi.

— Nous l'aimons tous bien, acquiesça Liz. Il a sauvé la vie de ton frère.

A son arrivée à la maison, Jamie raconta par le menu sa visite à ses sœurs, sans oublier le lit qui montait et descendait et le médecin qui avait horreur des piqûres et avait sauvé la vie de Peter. Ç'avait été une grande aventure, pour lui. Cette nuit-là, il dormit dans le lit de sa mère mais d'un sommeil paisible, sans cauchemars. Liz, en revanche, rêva toute la nuit de Jack, de l'accident de Peter, de Bill, de Jamie et des filles. Et quand elle se réveilla le lendemain matin, elle avait l'impression d'avoir participé à un rodéo.

— Est-ce que tu es fatiguée, maman ? lui demanda Jamie lorsqu'il la réveilla à six heures.

— Très, répondit-elle avec un gémissement.

Les derniers jours l'avaient mise à rude épreuve. Elle avait eu si peur de perdre son fils qu'elle avait l'impression d'avoir survécu à une agression physique.

Elle prépara le petit déjeuner des enfants, passa au bureau et se rendit au tribunal avant de rejoindre Carole et les filles à l'hôpital. Jamie était resté avec une voisine.

Les filles rirent, bavardèrent, regardèrent et tripotèrent tout ce qui se trouvait dans la chambre, elles racontèrent à leur frère les derniers potins concernant leurs amis et petits amis, et lui dirent combien elles se réjouissaient de le voir. Mais Liz comprit vite que Jamie avait eu raison : au départ de ses sœurs, une heure plus tard, Peter était épuisé et on dut lui faire une injection d'analgésique.

Quand il se fut enfin endormi, Liz sortit dans la salle d'attente pour parler un moment avec Bill Webster.

— Les filles l'ont mis à plat, observa-t-elle d'un air inquiet.

— C'est une prérogative féminine, plaisanta Bill. En fait, je pense que ça lui a fait du bien. Ça lui a changé les idées.

Liz lui demanda quand, à son avis, Peter pourrait quitter l'hôpital, et Bill lui répondit qu'il serait de retour chez eux avant la fête du travail, moins de deux semaines plus tard. Il voulait le garder jusque-là pour s'assurer que sa tête avait bien désenflé, afin d'éviter toute complication ultérieure, et Liz estima ces précautions raisonnables.

Cela lui rappela qu'elle voulait discuter avec les enfants du barbecue qu'ils organisaient chaque année à l'occasion de la fête du travail. Ils n'avaient pas eu l'intention de reconduire la tradition cette fois, mais elle pensait qu'après la peur qu'ils avaient eue et la tragédie qu'ils avaient évitée de justesse, ils avaient quelque chose à célébrer. Or, retourner au lac Tahoe comme prévu était maintenant impossible : Peter ne serait pas encore en mesure de voyager.

— Pourra-t-il effectuer une rentrée des classes normale ? demanda-t-elle à Bill.

— A peu près. Peut-être commencera-t-il une semaine après les autres, mais rien de trop ennuyeux. En revanche, il ne pourra pas conduire tout de suite.

Et Liz songea qu'ils devraient également remettre à plus tard la tournée des universités qu'ils avaient prévu de faire ensemble en septembre. Il faudrait attendre qu'il ait repris des forces.

Pendant un moment, Bill et elle discutèrent des détails de la convalescence du jeune homme, puis le médecin invita Liz à venir prendre une tasse de café dans son bureau avant de partir. Elle accepta, et se laissa tomber dans un fauteuil avec un soupir épuisé.

— Longue journée ? demanda-t-il avec compassion.

Il s'émerveillait de la façon dont elle assumait les responsabilités écrasantes qui lui revenaient, tout en demeurant calme et tendre envers ses enfants.

— Pas plus longue que la vôtre, fit-elle valoir.

— Mais moi, je n'ai pas cinq enfants dont un à l'hôpital.

Sans compter un petit garçon handicapé qui avait besoin d'une attention particulière et trois adolescentes en mal d'affection…

— Quand j'y pense, je me demande comment vous faites pour assumer tout ça.

— Moi aussi, parfois, reconnut-elle. Mais quand on n'a pas le choix, on se débrouille.

— Et vous ? Qui s'occupe de vous, Liz ? demanda-t-il en plongeant son regard dans le sien.

— Moi. Et Peter, parfois. Sans compter ma secrétaire, ma gouvernante, mes amies… J'ai de la chance, vous savez. Je suis bien entourée.

Bill n'en était pas moins admiratif. Ayant perdu son mari après vingt ans de vie commune, elle faisait face à l'adversité de façon remarquable.

— Quand je vous regarde, je me sens coupable du peu de responsabilités que j'ai. Je n'ai même pas un poisson rouge ! Je suppose que je suis plutôt égoïste.

— Chacun a des besoins différents, voilà tout. Vous connaissez les vôtres, et vous vivez en fonction d'eux.

Il lui avait dit avoir quarante-cinq ans, et elle supposait qu'à cet âge-là, s'il n'avait pas été satisfait de l'existence qu'il menait, il aurait pu en changer. De toute évidence, elle lui convenait.

— Moi, je serais perdue sans mes enfants, reconnut-elle.

— Je comprends cela. Ils sont formidables. Et ce n'est pas un hasard. Vous leur donnez beaucoup, et cela se voit.

— Ils en valent la peine, et ils me rendent heureuse. A ce propos, ajouta-t-elle en reposant sa tasse et en se levant, je ferais bien d'aller les rejoindre... On se voit demain ?

— Non, je ne serai pas là, je prends quelques jours de congé. Mais rassurez-vous, Peter sera entre de bonnes mains.

Il lui donna le nom du médecin qui s'occuperait du service en son absence et la date de son retour. Il allait à Mendocino.

— Amusez-vous bien, lui dit-elle en souriant. Vous méritez vraiment un peu de repos !

Ce soir-là, à son retour chez elle, elle parla aux enfants de la fête qu'elle comptait organiser. A sa grande surprise, leurs réactions furent mitigées. Megan et Jamie estimaient que c'était une excellente idée, mais Rachel et Annie avaient l'impression de trahir leur père en célébrant la fête du travail sans lui.

— Qui s'occupera du barbecue ? demanda Rachel d'une voix plaintive.

— Nous, répondit Liz avec calme. Peter sera de retour et il pourra m'aider. Je trouve normal que nous fêtions son rétablissement, et le fait qu'il soit toujours parmi nous.

Lorsqu'elle présenta les choses ainsi, les filles ne purent qu'acquiescer, quoique de mauvaise grâce. Durant la semaine, elles finirent par se faire à l'idée, et en fin de compte elles se réjouirent de cette fête, qui leur donnerait l'occasion de recevoir tous leurs amis. Liz conviait également les siens, si bien qu'elle eut bientôt près de soixante noms sur sa liste d'invités.

C'était la première fois qu'elle organisait une réception depuis la mort de Jack, mais après huit mois, cela ne paraissait plus indécent. Et quand elle en parla à Peter, il accueillit la nouvelle avec enthousiasme.

Quatre jours avant la fête du travail, lorsque Peter fut autorisé à sortir de l'hôpital, près de cinquante personnes avaient déjà accepté l'invitation.

Liz discutait de la convalescence de Peter et de ses soins avec Bill Webster, lorsqu'elle songea soudain à le convier aussi.

— C'est une sorte de célébration en l'honneur de Peter, expliqua-t-elle. Ce serait bien que vous puissiez venir. Rassurez-vous, il s'agit seulement d'une petite fête très informelle, pas la peine de se mettre sur son trente et un.

— Je peux venir en blouse ? plaisanta-t-il. Je ne suis pas sûr de posséder autre chose, j'ai si rarement le temps de sortir…

Cependant, il avait l'air heureux d'être invité et lui dit que, s'il n'était pas de service ce jour-là, il viendrait avec joie.

— Cela nous ferait vraiment plaisir, insista-t-elle.

Ils avaient une dette envers lui, et c'était une bonne manière de lui montrer qu'ils en étaient conscients. Liz lui avait également envoyé une caisse de vin, qu'il avait reçue avec gratitude, mais elle trouvait normal qu'il fût présent pour fêter le retour de Peter parmi les siens. Sans lui, elle ne l'oubliait pas, le jeune homme aurait pu ne jamais revenir.

Avant de prendre congé, Bill lui fit quelques recommandations. Avant tout, elle ne devait pas laisser Peter se fatiguer. Une fois chez lui, il serait tenté de voir ses amis et de faire le fou avec eux, mais il fallait à tout prix qu'il se repose. Cela mis à part, Bill pensait qu'il était tiré d'affaire, et que l'accident ne lui laisserait aucune séquelle. A la fin de sa rééducation, vers Noël, il serait entièrement remis.

— Mais surveillez-le quelque temps, conclut-il.

— Promis.

Il ne pourrait pas conduire pendant un mois ou deux, le temps de porter sa minerve. Liz devinait que cela serait pénible au jeune homme et qu'elle, de son côté, serait souvent réquisitionnée pour jouer les chauffeurs, quand Carole serait occupée avec Jamie ou les filles. Mais ce n'était qu'un inconvénient mineur.

— Nous nous débrouillerons, dit-elle.

— Donnez-moi de vos nouvelles. Et n'hésitez pas à m'appeler s'il y a quoi que ce soit.

Bill revint leur dire au revoir au moment où ils quittaient l'hôpital, et il serra chaleureusement la main de Liz. Il était évident qu'elle allait lui manquer. Elle avait passé pas mal de temps dans son bureau, à boire du café et à bavarder avec lui, et ils s'étaient habitués l'un à l'autre. Elle réitéra son invitation pour la fête du travail, et il promit de faire de son mieux pour se libérer.

— Il viendra, m'man, affirma Peter d'un air entendu une fois dans la voiture.

— Pas s'il doit travailler, répondit-elle, pragmatique.

Mais à vrai dire, elle était désolée à l'idée de ne plus voir le médecin. Après ce qu'ils avaient traversé ensemble, elle le considérait presque comme un ami.

— Il viendra, répéta Peter avec un petit sourire en coin. Je te l'ai dit, il t'aime bien.

— Arrête de faire le malin ! répondit-elle sans se troubler.

— Je suis prêt à parier dix dollars qu'il sera là, insista Peter en réajustant sa minerve.

— Tu n'as pas les moyens de tenir ton pari.

D'ailleurs, songea-t-elle, peu importait que Bill Webster vînt ou non à sa fête. Pour elle, cela ne faisait aucune différence, même si Peter, lui, voyait les choses d'un tout autre œil…

8

La fête des Sutherland fut très réussie. Tous les amis des enfants étaient venus, accompagnés pour la plupart de leurs parents, et cela permit à Liz de revoir des personnes qu'elle n'avait plus vues depuis la mort de Jack. Victoria et son mari étaient là avec les triplés. Liz et Peter s'occupaient du barbecue, et le jeune homme se débrouillait fort bien, en dépit de sa minerve. De leur côté, les trois filles se mêlaient aux invités et leur proposaient à boire et à manger. Tout le monde paraissait bien s'amuser.

Une demi-heure après le début des festivités, Bill Webster pénétra dans le jardin, l'air un peu perdu. Heureusement, il ne tarda pas à repérer Jamie.

— Coucou, tu te souviens de moi ?

Il portait un jean et une chemise à carreaux à manches longues, et ses cheveux étaient soigneusement coiffés en arrière. Jamie sourit dès qu'il le vit.

— Oui, je me rappelle. Vous n'aimez pas les piqûres non plus, s'exclama-t-il.

— C'est bien ça. Comment va Peter ?

— Plutôt bien, sauf qu'il me crie après quand je lui saute dessus.

— Il a sans doute tort de te gronder, mais tu sais, il faut que tu fasses attention. Son cou est quand même un peu cassé.

— Je sais, c'est pour ça qu'il porte ce gros collier.

— Je suppose qu'on peut appeler ça comme ça, oui. Où est ta maman ? demanda Bill en souriant.

— Par là-bas.

Jamie indiqua la direction du barbecue et Bill hocha la tête. Liz préparait des hamburgers ; elle portait un tablier sur son jean, et ses cheveux roux flamboyants, qu'elle avait laissé lâchés sur ses épaules, étincelaient au soleil. Elle souriait et était ravissante.

Comme si elle avait senti le regard de Bill posé sur elle, elle leva la tête et le vit. Elle lui fit signe d'approcher avec la spatule qu'elle tenait à la main et il s'avança vers elle, Jamie sur ses talons. Arrivé près du barbecue, il vit que Peter était là aussi, son « collier » autour du cou.

— Comment ça va ? demanda-t-il à son ancien patient.

Peter sourit et, faisant semblant de tendre quelque chose à sa mère, il lui murmura à l'oreille :

— Tu me dois dix dollars.

— C'est toi qu'il est venu voir, répondit-elle sur le même ton avant de saluer Bill et de lui proposer un verre de vin.

Le médecin refusa, préférant une boisson gazeuse : il pouvait être appelé à l'hôpital à tout moment.

— Vous m'avez l'air d'une vraie professionnelle du barbecue, observa-t-il, un sourire aux lèvres.

— Mon mari était un expert, c'est lui qui m'a tout appris.

— Peter semble en forme.

Le jeune homme plaisantait avec ses amis tout en surveillant la viande et, malgré sa minerve encombrante, il paraissait passer un bon moment.

— Il voudrait retourner au lycée la semaine prochaine, et j'avoue que ça m'inquiète un peu.

— Si vous pensez qu'il en est capable, laissez-le faire. Je fais confiance à votre jugement.

— Merci.

Comme Carole s'approchait, accompagnée d'un voisin, Liz lui confia le barbecue un moment, afin de pouvoir faire quelques pas avec Bill. Ils s'assirent sur deux chaises libres et sirotèrent leurs Cocas en bavardant.

— Comment ça va, à l'hôpital ?

Il semblait étrange à Liz d'être là avec lui, loin du service de traumatologie et des angoisses qu'ils avaient partagées. Maintenant qu'ils se retrouvaient seuls tous les deux, comme des gens « normaux », elle se sentait soudain timide.

— Hélas, nous sommes toujours trop occupés. Et ça ne risque pas de s'arranger : les longs week-ends comme celui-ci sont toujours meurtriers. Accidents de voiture, blessures par balles, tentatives de suicide… Les gens ont une imagination débordante dès qu'on leur laisse le champ libre pendant quelques jours, surtout si on leur met un volant entre les mains.

— Je suis contente que vous ayez pu vous libérer un peu et venir nous voir.

— Je ne me suis pas vraiment libéré, à vrai dire. Je suis de garde. Mais je me suis dit qu'ils se débrouilleraient bien sans moi un moment. J'ai laissé mon assistant sur place ; il est très compétent, et il ne m'appellera que si c'est vraiment nécessaire. Et vous, Liz ? Les jours fériés ne doivent pas être très gais, pour vous, cette année.

— Aujourd'hui, ça se passe plutôt bien. En revanche, la Saint-Valentin, Pâques, les anniversaires des enfants, le 4 juillet… Tout cela a été un peu dur, je l'avoue. Mais je suis contente d'avoir organisé cette fête. Je pensais que ce serait sympa pour les enfants.

Et de fait ceux-ci paraissaient bien s'amuser. Ils étaient heureux d'être entourés de tous leurs amis, pour la première fois depuis Noël.

— Quand j'étais petit, j'adorais les jours fériés, lui confia Bill. Maintenant, ce sont des jours de travail comme les autres.

Elle songea qu'il devait mener une vie bien solitaire, mais cela semblait lui convenir. Pendant le séjour de Peter à l'hôpital, elle avait vu qu'il passait là le plus clair de son temps, et elle n'en appréciait que davantage qu'il eût fait l'effort de venir les voir.

— Que faites-vous de vos loisirs quand vous n'êtes pas en train de travailler ou de courir après les enfants ? demanda-t-il avec intérêt.

Liz éclata de rire.

— Comment ? Vous voulez dire qu'il y a une vie, en dehors du travail et des enfants ? Je ne suis pas sûre de m'en souvenir…

— Il faut peut-être vous rafraîchir la mémoire. Quand êtes-vous allée au cinéma pour la dernière fois ?

— Ma foi…

Elle réfléchit un moment et secoua la tête. Elle avait du mal à croire que cela faisait si longtemps... Bien sûr, elle avait à plusieurs reprises déposé les enfants au cinéma de Mill Valley, mais elle-même n'y avait pas mis les pieds depuis des siècles.

— Je crois que la dernière fois que j'ai vu un film, c'était pour Thanksgiving.

Et c'était avec Jack, bien sûr. Ils avaient eu pour habitude de se rendre au cinéma tous les deux chaque année après le dîner de Thanksgiving, une fois les enfants couchés.

— Nous pourrions peut-être remédier à cela ? proposa Bill.

Au même instant, la sonnerie de son bipeur retentit et il baissa les yeux vers le petit appareil fixé à sa ceinture. Le mot « urgence » clignotait sur l'écran et, s'excusant auprès de Liz, il tira un téléphone portable de sa poche pour appeler l'hôpital. Il écouta longuement les explications de son interlocuteur, lui donna quelques instructions, puis il se retourna vers Liz avec une expression déçue.

— Ils ont un cas délicat sur les bras, expliqua-t-il. Deux jeunes en voiture qui se sont heurtés de plein fouet. Je ferais mieux d'y aller. Moi qui espérais pouvoir passer un peu plus de temps avec vous et déguster un hamburger... Dommage. Il faudra que vous me racontiez comment s'est terminée la fête.

— Pourquoi ne pas emporter un hamburger avec vous ? proposa Liz en l'accompagnant jusqu'au portail.

Le barbecue était installé tout près, et elle demanda à Peter d'envelopper un hamburger dans du papier aluminium. Elle le tendit à Bill tandis qu'il montait dans sa voiture, une Mercedes assez ancienne mais très élégante. Liz songea qu'en dehors de l'hôpital, le médecin était bien différent de l'homme toujours décoiffé et vêtu d'une blouse qu'elle avait connu ; il avait même une allure indéniable, avec son jean immaculé, ses mocassins impeccablement cirés et ses cheveux plaqués en arrière.

— Merci pour le hamburger, dit-il en souriant. Je vous appellerai pour que nous allions voir ce film, d'accord ? La semaine prochaine, peut-être ?

— Avec plaisir, répondit-elle.

De nouveau, elle se sentait timide, et très jeune. Cela faisait des années qu'un homme ne l'avait pas invitée au cinéma… Mais Bill était gentil et respectable, et il avait raison : elle avait bien besoin de sortir un peu.

Lorsqu'elle s'arrêta près de Victoria pour bavarder un moment avec elle après le départ de Bill, la jeune femme commenta aussitôt la visite du médecin, qu'elle avait vu discuter avec son amie.

— Il n'est pas mal du tout, dis-moi, observa-t-elle avec un sourire coquin. Et tu lui plais.

— C'est ce que dit Peter. En tout cas, c'est un excellent médecin.

— Est-ce qu'il t'a invitée à sortir avec lui ? demanda Victoria d'un ton plein d'espoir.

— Ne sois pas bête, Vic. Nous sommes amis, c'est tout.

Mais en vérité, il l'avait bel et bien invitée, même si Liz se refusait à l'admettre, sûre que cela ne voulait rien dire. Après tout, il ne s'agissait que d'une sortie au cinéma, qui n'aurait peut-être jamais lieu.

Cela ne valait pas la peine d'en parler à Victoria, décida-t-elle.

La fête continua, et il était plus de vingt-trois heures lorsque les derniers invités prirent congé. Les plats avaient été délicieux, le vin abondant, et la compagnie fort plaisante. Tout le monde s'était bien amusé, et Liz se réjouissait d'avoir organisé ce barbecue.

Elle aidait Carole à remplir le lave-vaisselle, lorsque le téléphone sonna. Il était plus de minuit, constata-t-elle avec surprise en jetant un coup d'œil à l'horloge. Qui pouvait bien l'appeler à une heure pareille ? Sans doute un des invités avait-il oublié quelque chose, songea-t-elle.

Elle fut surprise de reconnaître la voix de Bill, qui l'appelait pour la remercier de son invitation.

— Je me suis dit que vous seriez sans doute encore debout, expliqua-t-il. Est-ce que tout le monde est parti ?

— Oui, il y a quelques minutes. Vous avez bien calculé. Comment s'est passé votre après-midi ?

Il soupira avant de répondre.

— Nous avons perdu l'un des deux jeunes gens, mais l'autre s'en sort. C'est comme ça, parfois…

Cependant, elle devinait à sa voix que chaque perte humaine le rendait malade.

— Je ne sais pas comment vous faites, dit-elle avec douceur.

— C'est mon métier.

Et il était évident qu'il adorait son travail, en particulier lorsque son intervention réussissait, comme c'était souvent le cas.

— Alors, quand allons-nous au cinéma ?

Il ne lui laissa même pas le temps de répondre ou de réfléchir.

— Que diriez-vous de demain ? poursuivit-il. J'ai ma soirée, et je ne suis même pas de garde, ce qui est rare, croyez-moi. Nous ferions mieux d'en profiter. Alors ? Pizza et film ?

— C'est la meilleure offre qu'on m'ait faite depuis bien longtemps ! répondit-elle en souriant. Ça m'a l'air parfait.

— Dans ce cas, je passerai vous chercher à dix-neuf heures.

— D'accord. A demain, Bill. Et merci. J'espère que vous aurez une nuit paisible à l'hôpital.

— Merci. Bonne nuit à vous, dit-il avec douceur, se rappelant qu'elle lui avait dit avoir du mal à trouver le sommeil.

La jeune femme souriait toujours lorsqu'elle raccrocha le combiné. Peter entrait justement dans la pièce ; il la regarda et arqua un sourcil interrogateur.

— C'était qui ? demanda-t-il.

— Personne, répondit-elle.

Mais Peter l'observait d'un air attentif. Enfin, il devina ce qu'elle essayait de lui cacher, et un large sourire se peignit sur ses traits.

— C'était Bill Webster, pas vrai ? Dis-moi la vérité. C'était bien lui, n'est-ce pas ?

— Oui. Peut-être, admit sa mère, vaguement penaude.

— Je t'avais bien dit que tu lui plaisais ! C'est génial.

— Qu'est-ce qui est génial ? demanda Megan en les rejoignant dans la cuisine.

Carole avait terminé de remplir le lave-vaisselle et s'était éclipsée. Quant aux plus jeunes enfants, ils avaient été envoyés au lit aussitôt les derniers invités partis.

— Maman plaît à mon médecin, expliqua Peter à sa sœur, visiblement satisfait.

Il appréciait beaucoup Bill Webster.

— Quel médecin ? demanda Megan, les sourcils froncés.

— Celui qui m'a sauvé la vie, bécasse. Qui veux-tu que ce soit ?

— Qu'est-ce que ça veut dire, « maman lui plaît » ?

— Ça veut dire qu'il l'a appelée.

— Pour sortir avec elle ?

Megan paraissait horrifiée. Son regard allait de sa mère à Peter. Ce dernier se tourna vers Liz.

— C'est vrai, ça, maman, qu'il t'a invitée à sortir ? demanda-t-il avec un amusement évident.

— En quelque sorte, admit Liz au grand dam de Megan. Nous allons au cinéma demain soir.

Il n'aurait servi à rien d'essayer de leur mentir, puisque Bill devait passer la chercher. De plus, elle n'avait rien à cacher. C'était un homme sympathique, et le médecin de Peter. Ils étaient amis, et elle était certaine qu'il n'avait rien de plus intime en tête que ce qu'il lui avait proposé : une pizza et un film.

— Il n'y a pas de quoi en faire toute une histoire, ajouta-t-elle. J'ai pensé que ça pourrait me changer les idées.

Megan la regardait d'un air mauvais.

— C'est dégoûtant. Et papa ?

— Quoi, papa ? intervint Peter. Il est mort. Maman est vivante. Elle ne peut pas rester éternellement cloîtrée ici à s'occuper de nous.

— Comment ça ?

Megan ne comprenait pas la position de son frère, ou ne voulait pas la comprendre. Elle ne voyait pas pourquoi sa mère recommencerait à fréquenter des hommes.

— Maman n'a pas besoin de sortir. Elle nous a, nous.

— C'est exactement ce que je cherche à t'expliquer. Ça ne suffit pas. Avant, elle avait papa.

— Ce n'est pas pareil, rétorqua Megan, butée.

— Si, exactement, contra Peter.

Leur mère restait en dehors de leur discussion, tout en étant captivée par ce qu'elle lui révélait. Megan était catégorique : elle ne devait pas sortir avec d'autres hommes, maintenant que leur père était mort. Peter, en revanche, était tout aussi persuadé que Liz avait besoin de se changer les idées. En cela, il partageait l'avis de Bill Webster, qui l'avait invitée précisément dans ce but. Mais pour Megan, tout homme s'immisçant dans leur existence représentait une menace.

— Qu'est-ce que tu penses que papa dirait de ça, maman ? demanda-t-elle directement à Liz.

— Il dirait qu'il est temps, répondit Peter à la place de sa mère. Ça fait presque neuf mois, et maman a bien le droit de sortir. Bon sang, quand la mère d'Andy Martin est morte l'année dernière, son père s'est remarié au bout de cinq mois ! Maman n'a même pas regardé un autre homme depuis la mort de papa.

Cela ne fit qu'accroître l'inquiétude de sa sœur.

— Tu vas *épouser* le médecin de Peter ? s'enquit-elle, horrifiée.

— Non, Megan, répondit calmement Liz. Je ne vais épouser personne. Je vais manger une pizza et voir un film. Il n'y a pas grand mal à ça.

Malgré tout, il était intéressant pour elle d'observer les réactions de ses enfants, aussi bien positives que négatives. Tandis qu'elle montait dans sa chambre, cela la fit réfléchir. Avait-elle eu tort d'accepter l'invitation de Bill ? Etait-il déplacé, indécent de sortir avec lui ? Etait-il trop tôt pour fréquenter un homme ? Allons, se morigéna-t-elle, elle ne « fréquentait » pas Bill, ils allaient simplement passer une soirée ensemble. D'ailleurs, elle n'avait pas la moindre intention d'épouser qui que ce soit. Elle n'arrivait pas à concevoir de devenir la femme d'un autre que Jack. Ce dernier avait été si parfait pour elle qu'elle était certaine que personne ne pourrait soutenir la comparaison. Il s'agissait seulement d'une soirée de détente, et Bill n'était qu'un ami.

Cependant, Megan était toujours sur le sentier de la guerre le lendemain, lorsque Bill passa chercher Liz à dix-neuf heures précises. L'adolescente lui ouvrit la porte, lui jeta un regard méchant et monta l'escalier d'un pas lourd. Elle ne se présenta pas, ne souhaita même pas la bienvenue au visiteur. Liz s'excusa aussitôt de la grossièreté de sa fille. Par chance, celle-ci fut compensée par la chaleur avec laquelle Jamie accueillit le médecin. Dès qu'il le vit, il esquissa un large sourire et vint à sa rencontre. Ils bavardèrent quelques secondes.

— Tu t'es bien amusé, hier ? demanda Bill en caressant affectueusement les cheveux du petit garçon.

— C'était rigolo, acquiesça Jamie. Enfin, j'ai mangé trop de hot dogs et j'ai eu mal à l'estomac, mais avant ça, c'était rigolo.

— Moi aussi, ça m'a plu.

Soudain, Bill feignit un air inquiet.

— Tu ne vas pas me faire de piqûre, au moins ?

L'enfant rit de sa plaisanterie, après quoi Bill lui demanda s'il avait déjà joué avec un cerf-volant. Jamie répondit que non.

— Il faudra que tu viennes voir le mien un de ces jours, déclara Bill. Il est vraiment superbe. C'est un cerf-volant à l'ancienne que j'ai fabriqué moi-même, et il vole très bien. Un jour, nous irons sur la plage et je t'apprendrai à le manœuvrer.

— Oh oui ! s'exclama Jamie, les yeux brillants d'excitation.

Rachel et Annie descendirent à leur tour saluer le visiteur, mais Megan demeura obstinément dans sa chambre. Elle boudait, furieuse contre sa mère. Peter, lui, était sorti ; comme il ne pouvait toujours pas conduire, ses amis étaient venus le chercher, et Bill chargea Jamie de lui dire bonjour de sa part quand il rentrerait.

— Vous avez vraiment des enfants formidables, dit-il avec admiration lorsqu'il se retrouva seul avec Liz dans sa voiture. Je ne sais pas comment vous faites.

— C'est facile, répondit-elle en souriant. Je les aime à la folie, voilà tout.

— Tout de même, ce n'est pas si évident que ça. Je sais que moi, je n'y arriverais pas.

Pour lui, visiblement, élever des enfants s'apparentait à une intervention chirurgicale majeure : c'était douloureux, difficile et potentiellement fatal.

— Vous n'arriveriez pas à quoi ? demanda Liz tandis qu'il démarrait.

— A me marier et à avoir des enfants. A vous voir, on croirait que ça se fait tout seul, mais je suis bien placé pour savoir que c'est faux. Il faut être doué pour ça. C'est une forme d'art... Si vous voulez mon avis, c'est beaucoup plus compliqué que la médecine.

— On apprend au fur et à mesure. Ce sont les enfants qui vous enseignent le métier de parent.

— Ce n'est pas aussi simple que ça, Liz, vous le savez très bien. La plupart des gosses se conduisent comme des délinquants et finissent par se droguer. Vous avez beaucoup de chance d'avoir cinq enfants aussi parfaits.

Liz remarqua qu'il avait inclus Jamie dans le compliment et s'en réjouit. C'était un enfant formidable, en dépit de ses limites, et même s'il exigeait d'elle plus d'attention que les autres, elle l'adorait et aimait le voir apprécié à sa juste valeur.

— Je crois que vous vous faites de drôles d'idées à propos des enfants, dit-elle. Ce ne sont pas tous des vandales, vous savez.

— Pas tous, mais avouez qu'ils sont tout de même nombreux. Et leurs mères sont pires, ajouta-t-il.

Liz éclata de rire.

— Quel optimisme ! Etes-vous sûr de vouloir dîner avec moi, docteur ?

— Vous savez ce que je veux dire, insista-t-il. Combien connaissez-vous de couples qui soient réellement bien assortis et satisfaits de leur relation ?

— Mon mari et moi avons été très heureux pendant très longtemps, répondit-elle avec simplicité.

— Eh bien, c'est l'exception qui confirme la règle.

— Je reconnais que la plupart des gens sont insatisfaits, mais il ne faut pas généraliser. Certains s'en sortent très bien.

— Peu, croyez-moi.

Ils arrivaient au restaurant. Ils ne dirent plus rien jusqu'au moment où ils furent installés face à face à une table près de la fenêtre.

— Comment en êtes-vous arrivé à avoir une si mauvaise opinion du mariage, Bill ? demanda alors Liz. Cela s'est passé si mal que ça, pour vous ?

— Pire encore ! Quand nous avons fini par divorcer, ma femme et moi, nous nous haïssions littéralement. Depuis, je ne l'ai pas revue, et je n'en ai jamais eu la moindre envie. D'ailleurs, si je l'appelais, elle me raccrocherait probablement au nez, c'est vous dire. Et je ne pense pas que notre cas soit particulier.

Mais Liz, incurable romantique, n'était pas de cet avis.

— Je crois que si, affirma-t-elle avec calme.

— Si vous disiez vrai, vous n'auriez plus de clients.

Cela la fit rire. Ils commandèrent une pizza aux champignons, aux olives et aux poivrons et s'en régalèrent. Cependant, elle était énorme, et ils calèrent avant de l'avoir terminée. La serveuse s'empressa de leur apporter deux cafés.

Au cours du repas, ils avaient discuté de maintes choses — la médecine, le droit, les années que Bill avait passées à New York durant son internat, les voyages que Liz avait effectués en Europe avec Jack. Elle gardait un souvenir tout particulièrement émerveillé de Venise.

En dépit du nombre de sujets abordés, Liz demeurait intriguée par la position de Bill sur le mariage et les enfants. Il était clair qu'il avait une opinion très arrêtée sur le sujet, et elle en était désolée pour lui, car il se privait ainsi de joies qui, pour elle, étaient essentielles. Pour rien au monde elle n'aurait échangé les années qu'elle avait passées avec Jack et les enfants. Sans ces derniers, elle savait que sa vie serait vide, tout comme devait l'être celle de Bill. Seul son travail comptait vraiment pour lui. C'était important, bien sûr, mais pour elle cela ne suffisait pas à remplir une existence. Néanmoins, elle ne revint pas sur le sujet. Leur conversation se porta sur le cinéma.

Il avait des goûts très éclectiques, et appréciait aussi bien les films étrangers ou d'art et d'essai que les grands succès commerciaux. Liz avoua qu'elle n'allait guère au cinéma qu'avec ses enfants, et voyait donc essentiellement des films d'action, des comédies ou des dessins animés.

Cela lui rappela qu'elle n'était quasiment pas sortie avec ses enfants depuis la mort de Jack, et elle se promit de remédier à cela à l'avenir. Bill lui avait redonné le goût de sortir, et après la séance elle décida de retourner très vite au cinéma, en famille cette fois.

Elle invita Bill à prendre un verre à leur retour chez elle, mais il refusa, expliquant qu'il devait se lever tôt le lendemain. Il commençait à l'hôpital à six heures, et elle fut touchée qu'il fût tout de même resté avec elle aussi tard. Il était plus de vingt-trois heures, et il serait sans doute très fatigué. Elle s'en excusa et il lui sourit.

— Vous le méritez, répondit-il simplement.

Elle fut à la fois surprise et flattée de ce compliment. Elle avait passé une excellente soirée et le remercia chaleureusement. Il promit de la rappeler prochainement et démarra tandis qu'elle pénétrait dans la maison.

Peter et Megan étaient encore debout et elle devina, avant même d'avoir refermé la porte, qu'elle allait être soumise à un interrogatoire serré.

— Est-ce qu'il t'a embrassée ? attaqua d'emblée Megan, l'air désapprobateur et écœuré.

— Bien sûr que non, voyons. Je le connais à peine.

— Ce ne serait pas cool, le premier soir, acquiesça Peter en connaisseur, ce qui fit rire sa mère.

— Je suis désolée de vous décevoir, les enfants, mais nous sommes seulement amis. Je crois qu'il fait très attention à ne pas s'engager dans une histoire sérieuse. Son travail est ce qui compte avant tout, pour lui. Et pour moi, ce qui compte avant tout, c'est vous. Tu n'as pas à t'inquiéter, Megan, conclut-elle avec fermeté.

— Je te parie dix dollars que la prochaine fois, il va t'embrasser, dit Peter avec un sourire amusé.

— Tu ne gagneras pas, ce coup-ci. D'ailleurs, qui te dit qu'il y aura une prochaine fois ? Peut-être qu'il a passé une soirée ennuyeuse au possible et qu'il ne me rappellera jamais.

— J'en doute, soupira Megan d'un ton sinistre.

Pour elle, l'entrée de Bill Webster dans leur vie était synonyme de désastre.

— Merci pour ta clairvoyance, Meg. Mais à ta place, je ne gaspillerais pas trop d'énergie à m'inquiéter pour ça. J'ai un procès important la semaine prochaine, et j'ai bien l'intention de travailler non stop dans les jours qui viennent.

— Très bien. Tu pourras rester à la maison avec nous. Tu n'as pas besoin d'un homme, maman.

— Pas tant que je vous ai vous, c'est ça, Megan ?

Pourtant, Liz devient bien reconnaître que sa sortie avec Bill avait été très agréable. Elle avait été heureuse de pouvoir avoir une conversation d'adulte et de découvrir un peu mieux le médecin. Ils n'attendaient rien l'un de l'autre mais s'appréciaient et avaient passé une bonne soirée. Même si elle n'avait plus jamais de ses nouvelles, elle était contente d'avoir eu l'impression, l'espace de quelques heures, d'être une femme et pas seulement une mère.

Elle envoya Peter et Megan se coucher et monta aussi. Jamie était déjà installé dans son lit et l'attendait. Il dormait encore parfois avec elle, mais cela ne la dérangeait pas.

Alors qu'elle s'endormait à son côté, elle se demanda si Megan avait raison, si elle pouvait bel et bien se passer d'un homme dans sa vie. Soudain, elle n'en était plus aussi convaincue. Près de neuf mois s'étaient écoulés depuis qu'elle avait pour la dernière fois fait l'amour avec Jack et dormi dans ses bras. Cela lui paraissait une éternité, à présent, même si elle n'avait pour l'instant aucun désir de changer son mode de vie.

Au même moment, Bill Webster pensait à elle et à l'excellente soirée qu'il avait passée en sa compagnie. Il ne savait pas très bien ce qu'il en résulterait, mais une chose était sûre : il aimait bien Liz Sutherland. Il l'aimait beaucoup, même.

9

Bill rappela Liz un peu plus tard dans la semaine et cette fois, il l'invita au théâtre. Ils se rendirent en ville, dînèrent ensemble, et après la pièce, il la ramena chez elle et accepta d'entrer boire un verre avec elle. Ils parlèrent un moment de théâtre, de livres, et Liz évoqua un dossier délicat sur lequel elle travaillait et qui impliquait la demande de garde d'un enfant qu'elle soupçonnait d'être maltraité. Elle avait signalé les parents aux services de protection de l'enfance, et ceux-ci avaient découvert qu'elle avait raison. D'une certaine manière, elle se trouvait confrontée à un dilemme moral ; elle aurait préféré représenter l'enfant plutôt que ses parents.

— Pourquoi ne le faites-vous pas, dans ce cas ? demanda Bill.

Cela lui paraissait évident, mais elle savait que les choses n'étaient pas aussi simples.

— C'est un petit peu plus compliqué que ça, expliqua-t-elle. Il aurait fallu que je sois désignée par le tribunal pour représenter l'enfant, et je ne l'ai pas été parce que j'étais l'avocate du père, et je risquais donc d'être en porte-à-faux. D'ailleurs, le juge a eu raison. Ce serait un conflit d'intérêts pour moi, même si ça me rend malade d'être du côté du père et non du fils.

— J'ai connu un cas un peu similaire, déclara Bill. Une petite fille qui disait avoir été battue par un voisin. Les parents voulaient porter plainte, et leur histoire était très convaincante. Bien sûr, comme il se doit, j'étais outré. En fin de compte, on a découvert que c'était le père qui frappait sa fille. Quand elle est arrivée dans mon service, la pauvre enfant avait subi des dommages irréparables au cerveau. Il n'y avait pas grand-chose que nous puissions faire ; quand la petite a quitté l'hôpital, les services sociaux l'ont retirée à ses parents, mais elle a supplié le juge de la laisser retourner auprès d'eux. Moi, j'avais peur que son père ne la tue. Le juge l'a confiée à une famille d'accueil pendant quelques mois, mais elle a fini par être renvoyée dans sa famille d'origine.

— Et que s'est-il passé ?

— Je ne sais pas. Malheureusement, je les ai perdus de vue. C'est le problème, dans mon métier : il faut travailler dans l'urgence, dans l'instant, et quand le patient va mieux, on doit immédiatement passer au suivant…

— Vous ne regrettez pas de ne jamais avoir de relation durable avec vos patients ?

— Pas vraiment. D'une certaine manière, je crois que c'est en partie ce qui me plaît dans ce que je fais : je n'ai pas à me préoccuper de problèmes qui, en définitive, ne me concernent pas directement. C'est beaucoup plus simple ainsi.

Décidément, il était clair qu'il ne voulait d'aucune relation à long terme, quelle qu'elle fût. Mais Liz l'appréciait malgré tout, et quand elle l'entendait s'exprimer ainsi, elle ne pouvait s'empêcher de le plaindre. Sa vie et sa philosophie étaient à l'opposé des siennes. Tout, chez elle, s'inscrivait dans la durée, dans l'implication affective. Certains de ses clients avaient gardé le contact avec elle pendant des années, après leur divorce. Oui, vraiment, Bill et elle étaient très différents, mais cela ne les empêchait pas de bien s'entendre.

Il était tard lorsqu'il la quitta ce soir-là : ils bavardèrent jusqu'à près d'une heure du matin, et encore ne se leva-t-il qu'à regret pour prendre congé d'elle. Tous deux devaient se lever tôt le lendemain : lui prenait son service à sept heures, et elle devait se rendre au tribunal.

Au petit déjeuner, Peter demanda à sa mère, d'un air entendu, s'il avait gagné son pari.

— Non, cette fois, tu as perdu, répondit-elle en riant.

— Tu veux dire qu'il ne t'a pas embrassée ? insista Peter, visiblement déçu.

Une expression outragée s'était peinte sur les traits de Megan. Elle se tourna vers son frère d'un air furieux.

— Tu es immonde, accusa-t-elle. De quel côté es-tu, bon sang ?

— Du côté de maman, rétorqua-t-il sans ambages avant de reporter son attention sur l'intéressée. Tu me dirais la vérité, hein ? Tu ne mentirais pas uniquement pour gagner dix dollars ?

Il adorait la taquiner, et elle rit de bon cœur, tout en distribuant des crêpes à la ronde.

— Peter, comment peux-tu insinuer une chose pareille ? Je suis bien trop intègre pour mentir à mon propre fils, la chair de ma chair, dans le seul but de gagner un pari.

— Moi, je crois que tu mens, insista Peter.

— Non. Je te l'ai dit, Bill et moi sommes seulement amis, et ça me convient ainsi.

— Oui, c'est bien comme ça, intervint Rachel.

Liz regarda sa fille cadette. C'était la première fois qu'elle se prononçait sur le sujet.

— Depuis quand cette histoire t'intéresse-t-elle ? s'étonna Liz.

— Peter dit que Bill te drague, et Meg que tu vas l'épouser, exposa la fillette, qui, à bien des égards, était très mûre pour ses douze ans.

Comme eux tous, elle avait beaucoup grandi depuis la mort de son père.

— Laissez-moi vous rassurer, dit Liz avec un large sourire tandis qu'ils achevaient leur petit déjeuner. Deux sorties ne constituent pas des fiançailles.

— Il est trop tôt pour que tu recommences à sortir, décréta Annie avec sévérité.

— Et quand penses-tu que ce sera acceptable ? voulut savoir sa mère.

— Jamais, coupa Megan.

— Vous êtes complètement folles, s'exclama Peter en se levant de table avec humeur. Maman a le droit de faire ce qu'elle veut. Et papa aurait trouvé ça très bien. Si c'était maman qui avait été assassinée, papa aurait déjà recommencé à sortir, à l'heure qu'il est.

Cette remarque fit réfléchir Liz, qui y repensa durant tout le trajet jusqu'à son bureau. Peter avait-il raison ? Jack aurait-il fréquenté d'autres femmes, si c'était elle qui était morte et non lui ? Elle n'y avait jamais songé, mais de fait c'était une possibilité. Son défunt mari avait toujours eu une attitude saine vis-à-vis de l'existence, et il aimait trop la vie pour se terrer dans un coin et pleurer indéfiniment. Oui, Peter avait raison : Jack aurait sans doute recommencé à sortir. Cette pensée apaisa la culpabilité qu'elle éprouvait d'avoir accepté les invitations de Bill Webster.

Ce jour-là, il l'appela au bureau et l'invita de nouveau au cinéma le week-end suivant. Ils se voyaient beaucoup tout à coup, mais cela ne dérangeait pas Liz : elle appréciait sa compagnie.

Cette fois, ce fut Jamie qui ouvrit au médecin lorsqu'il vint chercher sa mère, et il s'empressa de lui résumer la situation.

— Mes sœurs pensent que vous ne devriez pas sortir avec maman, mais Peter dit que c'est bien, et moi aussi. Les garçons vous aiment bien, pas les filles, conclut-il.

Bill éclata de rire et raconta la scène à Liz lorsqu'ils furent installés dans le petit restaurant français de Sausalito où il avait choisi de l'emmener dîner.

— Vos filles sont-elles vraiment contrariées que nous nous fréquentions ? demanda-t-il, redevenu sérieux.

— Parce que nous nous fréquentons ? Je croyais que nous étions seulement amis.

— Est-ce ce que vous voulez, Liz ? s'enquit-il avec douceur.

— Je ne suis pas certaine de savoir ce que je veux, avoua-t-elle avec honnêteté. Je passe de bons moments avec vous. Ça s'est fait naturellement...

C'était également l'impression qu'avait Bill, mais il commençait à éprouver pour elle des sentiments plus profonds qu'il ne s'y était attendu. Si, au début, il se serait aisément contenté de demeurer son ami, à présent il souhaitait davantage. Néanmoins, il ne voulut pas l'effrayer et changea de conversation ; durant toute la soirée, ils évitèrent les sujets trop lourds et bavardèrent de tout et de rien.

Cette fois cependant, Peter aurait gagné son pari s'il l'avait renouvelé. En effet, lorsqu'il ramena Liz chez elle, Bill l'attira à lui avant de pénétrer dans la maison et l'embrassa en plongeant un regard très tendre dans le sien. Elle parut d'abord un peu surprise, puis elle se détendit et lui rendit son baiser. Ensuite, en revanche, une expression triste se peignit sur ses traits, ce qui ne manqua pas d'inquiéter Bill.

— Ça va, Liz ? murmura-t-il.

— Je crois, répondit-elle doucement.

L'espace d'un instant, leur baiser lui avait fait penser à Jack, et elle avait presque eu l'impression de le tromper. Elle qui n'avait pas cherché à commencer une nouvelle relation se retrouvait tout à coup dans les bras de Bill, et il lui fallait gérer les sentiments contradictoires que cela éveillait en elle.

— Je ne m'y attendais pas, expliqua-t-elle.

Bill hocha la tête.

— Moi non plus. Mais ça s'est fait tout seul... Vous êtes une femme extraordinaire, Liz.

— Ne dites pas de bêtises.

Liz lui sourit. Ils étaient bien, à l'extérieur, hors de portée de voix des enfants ; la présence de ces derniers aurait mis la jeune femme mal à l'aise, après ce qui venait de se passer entre Bill et elle.

Bill l'embrassa de nouveau, et cette fois elle lui rendit son baiser avec plus de ferveur. Elle était légèrement haletante, lorsqu'ils se séparèrent, et un peu inquiète.

— Qu'est-ce que nous sommes en train de faire ? demanda-t-elle, debout sous les étoiles de cette belle nuit de septembre.

Il lui sourit.

— Je crois que nous nous embrassons, dit-il simplement.

Mais cela allait bien plus loin. Il ne s'agissait pas seulement de curiosité, ou de l'appétit de deux corps solitaires ; ils éprouvaient l'un pour l'autre cette attirance rare qui naît parfois entre deux êtres, une union des esprits aussi bien que des lèvres. Il y avait beaucoup de choses qu'ils appréciaient l'un chez l'autre, bien qu'ils fussent conscients de leurs différences. Lui aimait les relations fugitives de toutes sortes, alors que tout, dans la vie de Liz, était centré autour de la durée. Même ses deux employées travaillaient pour elle depuis des années. Rien n'était temporaire dans sa vie, et Bill le savait. C'était une expérience nouvelle pour lui. Liz ne ressemblait en rien aux femmes qui, d'ordinaire, l'attiraient.

— Avançons doucement, lui dit-il. Sans trop réfléchir. Contentons-nous de voir comment les choses évoluent.

Elle hocha la tête, ne sachant que dire, ne sachant pas non plus si elle voulait réellement que « les choses évoluent ».

A peine était-elle de retour chez elle, après le départ de Bill, qu'une vague de culpabilité la submergea. Elle avait l'impression d'avoir trahi son mari. Elle avait beau se répéter qu'il était mort et ne reviendrait jamais, elle avait honte des baisers qu'elle avait échangés avec Bill. A cette honte se mêlait une sensation d'irréalité, mais aussi une excitation indéniable, et elle resta longtemps éveillée, cette nuit-là, à essayer de démêler l'écheveau de ses sentiments. Elle pensait tour à tour à Bill et à Jack, et se demandait ce qu'elle était en train de faire.

Le lendemain matin, quand elle s'éveilla, épuisée par une longue nuit d'insomnie, elle songea que Bill et elle devraient revenir à leur amitié d'origine, sans chercher de complications. Forte de cette décision, elle se sentit un peu mieux, jusqu'à ce que Bill l'appelle, aux alentours de dix heures.

— Je pensais à vous, et je me suis dit que j'allais prendre de vos nouvelles, voir comment vous alliez, dit-il avec douceur.

— Je suis désolée, pour hier soir, répondit-elle simplement.

— Désolée de quoi ? Moi, je ne regrette qu'une chose : de ne pas vous avoir embrassée davantage. Pour moi, ce fut une merveilleuse soirée.

— C'est bien ce que je craignais… Bill, je ne suis pas prête.

— Je comprends. Personne ne vous pousse. Il ne s'agit pas d'une course, nous n'avons pas à « arriver » quelque part. Nous sommes seulement là l'un pour l'autre.

C'était une jolie façon d'exprimer les choses, et elle lui fut reconnaissante de ne pas la presser. Du coup, elle eut un peu honte de s'être autant inquiétée.

— Et si je passais chez vous préparer le dîner pour toute la famille, samedi soir ? proposa Bill. J'ai ma soirée, et je me débrouille pas mal en cuisine. Qu'en dites-vous ?

Elle savait qu'elle aurait dû refuser son offre mais fut surprise de constater qu'elle n'en avait pas envie.

— D'accord. Je vous aiderai.

— J'apporterai tout. Y a-t-il quelque chose que les enfants aiment particulièrement ?

— Ils mangent de tout. Poulet, poisson, steak, pizza, spaghettis… Ils sont faciles.

— Je trouverai une idée.

— Jamie sera aux anges.

Et les filles, furieuses, mais elle ne jugea pas utile de le dire. C'était une bonne occasion de les rassurer au sujet de Bill : elles pourraient constater qu'il était inoffensif.

Mais l'était-il vraiment ? Se pouvait-il que ses filles eussent raison, et qu'il s'agît d'une situation potentiellement dangereuse ? Elle préférait ne pas y penser. Elle voulait être amie avec Bill, et avait apprécié leurs baisers. Fallait-il que leur relation aille plus loin ? Elle ne voyait pas pourquoi. Peut-être pourraient-ils continuer ainsi.

Comme promis, Bill arriva à dix-huit heures, le samedi suivant, les bras chargés de provisions. Il avait l'intention, annonça-t-il, de leur préparer du poulet frit, des épis de maïs et des pommes de terre en robe des champs. Il avait également apporté des glaces pour le dessert, et il commença sur-le-champ à s'activer dans la cuisine, refusant l'aide que lui proposait Liz.

— Asseyez-vous et détendez-vous, ordonna-t-il.

Il lui tendit un verre de vin, s'en servit un et se mit à l'œuvre. Le dîner qui en résulta se révéla excellent ;

même les filles furent agréablement surprises. Megan se refusait toujours à adresser la parole à Bill, mais Jamie et Peter bavardèrent avec lui pendant tout le repas, et Rachel et Annie finirent par se joindre à la conversation. Ils parlaient de l'école, et des différentes universités où Peter pourrait aller. Liz et lui avaient décidé d'effectuer leurs visites début octobre, et Bill donna quelques conseils au jeune homme. Même s'il pensait que Peter réussirait sans problème des études à Berkeley, il estimait qu'UCLA ou Stanford étaient de meilleurs choix, pour un certain nombre de raisons. Ils en discutaient toujours plus d'une heure plus tard, lorsque Liz, Rachel, Annie et Jamie entreprirent de débarrasser la table. Au grand désarroi de Liz, Megan s'éclipsa sans même avoir remercié Bill pour le dîner, mais quand la jeune femme fit part de sa colère à Bill, peu après, ce dernier lui conseilla de ne pas insister.

— Laissez-lui du temps, elle finira par s'habituer à moi. Nous ne sommes pas pressés.

Les remarques de ce genre rendaient toujours Liz un peu nerveuse. Elles semblaient sous-entendre que Bill allait rester longtemps dans leurs vies... En avait-il réellement l'intention ? Ou était-ce seulement une façon de parler ?

Il l'embrassa de nouveau ce soir-là, après que tous les enfants furent montés se coucher, et le fait d'échanger des baisers avec lui dans la maison mit Liz mal à l'aise. Leur intimité grandissante, la familiarité qui s'installait entre eux lui faisaient peur. Cela ressemblait à s'y méprendre aux prémices d'une véritable liaison... Elle avait constamment l'impression d'évoluer dans un champ de mines susceptibles d'exploser à tout moment. Megan était prête à bondir sur l'intrus, les autres filles ne savaient pas exactement que penser, mais surtout, Liz devait gérer ses propres émotions, ses inquiétudes quant à l'attitude de Bill, ses scrupules vis-à-vis de Jack, ses doutes sur elle-même.

Elle demeura dans le même état d'insécurité et d'interrogation durant tout le mois de septembre et le début du mois d'octobre, et c'est avec soulagement qu'elle vit arriver le week-end où elle avait prévu de faire le tour des universités avec Peter. Bill l'appelait chaque jour, et il lui téléphona même à l'hôtel où Peter et elle étaient descendus, à Los Angeles. Ce fut une surprise pour Liz, mais elle souriait lorsqu'elle raccrocha, et cette fois Peter ne fit aucun commentaire. Il ne voulait pas risquer de compromettre l'équilibre délicat de leur relation, car il appréciait beaucoup Bill et souhaitait que cela marche entre eux. Or il savait que sa mère se posait mille questions.

A leur retour, elle attendit quelques jours avant de revoir Bill et se contenta de passer manger un hamburger avec lui à la cafétéria de l'hôpital, un soir qu'il était de garde. Les infirmières la reconnurent aussitôt et certaines vinrent lui dire bonjour et lui demandèrent de saluer Peter de leur part.

— Tout le monde vous adore, Liz, observa Bill.

Le dévouement de la jeune femme envers son fils avait fait grosse impression sur le personnel hospitalier. Tous les parents ne se montraient pas aussi attentifs — en fait, rares étaient ceux qui faisaient l'effort de passer autant de temps auprès de leur enfant malade.

Liz s'intéressait toujours autant au travail de Bill, et elle lui posait de nombreuses questions, tout en s'inquiétant de sa charge de travail et du stress que cela représentait. Mais elle ne mettait pas de nom sur les sentiments qu'elle éprouvait pour le médecin, les conséquences auraient été trop grandes pour qu'elle s'y risquât.

Ce ne fut pas une coïncidence si, la semaine suivant son retour de Los Angeles, tôt le samedi matin, elle passa un long moment dans le dressing à contempler les vestes de Jack. Elles paraissaient sans vie à présent, et tristes, et les voir la déprimait. Elle ne les serrait plus contre elle comme par le passé, elle ne respirait plus leur odeur en pensant à son mari. Cela faisait plusieurs mois qu'elle ne s'était plus accrochée à elles comme à des bouées de sauvetage. Soudain, elle se rendait compte qu'il était temps d'agir. Cela n'avait rien à voir avec Bill, se dit-elle. Simplement, Jack était mort depuis dix mois, à présent, et elle était prête.

Une par une, elle ôta les vestes des cintres et les plia soigneusement. Elle ne pouvait les donner à Peter, trop grand et trop jeune pour les porter, et c'était tant mieux : il lui était plus facile de s'en débarrasser que de les voir portées par un autre que son mari.

Deux heures plus tard, elle avait vidé l'essentiel des tiroirs et toute la penderie de Jack, lorsque Megan entra dans sa chambre et vit ce qu'elle faisait. L'adolescente se mit à pleurer, et l'espace d'un instant Liz eut l'impression d'avoir assassiné Jack de nouveau. Megan regardait les piles de vêtements, immobile, secouée par de longs sanglots, et bientôt

Liz sentit à son tour des larmes lui brûler les paupières. Elle pleurait sur Jack, sur ses enfants, sur elle-même. Cependant, elle savait que s'accrocher aux effets personnels de Jack n'y changerait rien : ils l'avaient perdu à jamais. Il ne reviendrait plus, n'aurait jamais plus besoin de ses affaires. Mieux valait les donner à une œuvre de charité, même si la réaction de Megan l'obligeait à s'interroger sur sa décision.

— Pourquoi fais-tu ça maintenant ? C'est à cause de *lui*, hein ?

Elle voulait parler de Bill, Liz le savait et elle secoua lentement la tête.

— Il est temps, Meg... Il faut que je le fasse. Ça me fait trop mal de les voir.

Elle tendit les mains vers sa fille, mais Megan se dégagea violemment et partit en courant dans sa chambre, dont elle claqua la porte derrière elle. Liz la suivit et essaya de lui parler, en vain : la jeune fille refusait tout dialogue, et Liz finit par retourner d'un pas lourd dans sa chambre pour mettre les affaires de Jack dans des cartons. Peter, qui passait dans le couloir, la vit et lui proposa aussitôt de la remplacer.

— Je vais m'en occuper, maman. Tu n'as pas à faire ça toi-même.

— Merci, mais ça me fait plaisir, dit-elle tristement.

Peter l'aida à tout porter près de la voiture, et comme s'ils sentaient que le moment était important, les autres enfants sortirent un à un de la maison et demeurèrent debout devant le véhicule, l'air un peu perdu. Enfin, même Megan se décida à quitter sa chambre et s'approcha de sa mère. Il était clair que ce n'était pas facile pour Liz, et pour la soutenir, tous l'aidèrent à charger la voiture, comme pour dire une dernière fois adieu à leur père. Megan plaça elle-même le dernier carton dans le coffre.

— Je te demande pardon, maman, murmura-t-elle à travers ses larmes.

Liz la prit dans ses bras avec tendresse.

— Je t'aime, Meg, répondit-elle.

Ils pleuraient tous les six, à présent.

— Moi aussi, maman, sanglota Megan.

Peter proposa à Liz de la conduire jusqu'aux locaux de l'œuvre de charité la plus proche.

— C'est bon, je peux me débrouiller seule, le rassura-t-elle.

Il ne portait plus qu'une petite minerve à présent et avait recommencé à prendre le volant, et il insista pour l'emmener. Consciente d'être trop bouleversée pour conduire, Liz finit par accepter, et ensemble, sous le regard des autres, ils s'éloignèrent de la maison.

Une demi-heure plus tard, ils étaient de retour. Liz avait une mine épouvantable, et lorsqu'elle pénétra dans le dressing et vit les étagères vides, son cœur se serra douloureusement. En même temps, elle se sentait plus libre. Elle était heureuse d'avoir attendu d'être prête pour franchir le pas.

Elle demeura un long moment assise près de sa fenêtre, le regard perdu dans le vide, l'esprit hanté par des souvenirs de Jack, et quand Bill lui téléphona cet après-midi-là, il comprit tout de suite, à sa voix, qu'elle n'était pas dans son état normal.

— Ça va ? demanda-t-il, inquiet.

— Plus ou moins.

Elle lui expliqua ce qu'elle avait fait, et combien cela avait été dur, et le médecin hocha la tête avec émotion. Au cours des derniers mois, ses sentiments pour Liz s'étaient approfondis, et il détestait la voir souffrir.

— Je suis près de vous, Liz.

En même temps, il savait qu'il s'agissait d'un signe. Lentement, elle acceptait de se détacher du passé, et en se débarrassant des affaires de Jack, elle venait symboliquement de lui dire un dernier adieu. Il ferait toujours partie d'elle, et leurs enfants étaient son héritage ; mais elle renonçait enfin à sa présence. Le processus de deuil s'accomplissait.

— Est-ce que je peux faire quelque chose ?

— Non, répondit-elle tristement.

C'était une douleur privée, intime, un moment de souffrance qu'il lui fallait vivre seule, et ils en avaient tous les deux conscience.

— J'allais vous proposer de sortir ce soir, mais peut-être n'est-ce pas une très bonne idée.

Elle en convint, et il promit de l'appeler le lendemain matin. Cependant, il lui retéléphona plus tard, juste pour prendre de ses nouvelles. Elle avait toujours une voix triste, mais paraissait aller un peu mieux ; elle avait passé une soirée tranquille avec les enfants.

Le lendemain quand il la rappela, elle était redevenue elle-même, et il se réjouit lorsqu'elle accepta de le voir ce soir-là. Il la trouva plus calme, plus silencieuse qu'à l'ordinaire, mais au bout d'un moment, elle recouvra sa joie de vivre coutumière.

Ils firent une longue promenade, main dans la main, et lorsqu'il l'embrassa, cette fois, tous deux sentirent qu'il y avait quelque chose de changé dans leur étreinte. Liz était enfin prête à renoncer au passé pour regarder l'avenir.

— Je t'aime, Liz, dit Bill en la serrant contre lui.

Elle respira en silence l'odeur désormais familière de son after-shave. Il était très différent de Jack à bien des égards, mais elle tenait à lui, même si les mots ne parvenaient pas encore à sortir.

— Je sais, répondit-elle seulement.

10

Avant la fin du mois, tous deux avaient compris que leur relation était sérieuse. Ils ne savaient encore ni l'un ni l'autre ce que cela signifiait pour l'avenir, mais il était évident que Bill était amoureux de Liz, et qu'elle-même partageait ses sentiments, même si elle ne le lui avait pas encore avoué. Elle était en plein dilemme : elle ne savait que faire ni que dire à ses enfants. Elle en avait parlé à plusieurs reprises avec Victoria, et cette dernière lui avait conseillé d'aller doucement et de « laisser les choses se faire ». Liz était d'accord : elle se disait qu'avec le temps, ils découvriraient tous deux ce qu'ils éprouvaient vraiment et sauraient comment agir au mieux.

Le soir de Halloween, Bill passa chez elle et ensemble ils emmenèrent Rachel et Jamie faire le tour du voisinage[1]. Annie et Megan avaient décrété qu'elles étaient « trop vieilles » pour cela, et avaient

1. La tradition américaine veut que, pour Halloween, tous les enfants se déguisent et aillent sonner aux portes du quartier pour récolter des bonbons. (*N.d.T.*)

préféré rester à la maison avec Carole afin de distribuer des bonbons aux petits visiteurs. Peter était chez sa nouvelle petite amie.

Tard ce soir-là, une fois les enfants couchés, Bill regarda calmement Liz et lui demanda si elle accepterait de partir en week-end avec lui.

Elle hésita un long moment, et il eut soudain peur d'avoir tout gâché ; mais cela faisait deux mois qu'ils se fréquentaient, et ils avaient de plus en plus de mal à contenir leur passion. Il savait qu'il ne se trompait pas sur les sentiments qu'elle éprouvait pour lui et était, de son côté, certain de l'aimer.

Quand, enfin, elle accepta de l'accompagner à Napa Valley le week-end suivant, son cœur bondit de joie. Ils convinrent de ne pas en parler aux enfants, et il promit de s'occuper des réservations. Il voulait l'emmener à l'auberge du Soleil, un endroit très romantique qui serait parfait pour leur premier week-end seuls tous les deux.

Il passa la chercher en fin d'après-midi, le vendredi suivant. Il venait de travailler vingt-quatre heures d'affilée mais était si heureux qu'il ne sentait pas la fatigue. Liz avait prévu de nombreuses activités pour les enfants afin qu'ils ne s'ennuient pas en son absence, et elle leur avait dit qu'elle allait passer le week-end avec une ancienne camarade d'université. Bill et elle s'étaient donné rendez-vous à une heure où elle était sûre d'être seule à la maison.

Bill ne se formalisait pas de cette discrétion, il comprenait que Liz préférât ne pas bouleverser les enfants — ou plutôt les filles, car Peter et Jamie auraient sans doute été ravis de les voir partir en week-end tous les deux. Megan demeurait très hostile à leur relation, et elle influençait ses sœurs. Certes, elle se montrait désormais relativement polie envers lui, mais sans plus, et il ne voyait pas l'intérêt de se la mettre à dos davantage.

Le paysage qu'ils traversaient était magnifique. Les feuilles avaient pris des teintes cuivrées, bien que l'herbe demeurât verte, comme toujours en Californie. Ils bavardèrent durant tout le trajet jusqu'à Saint Helena. Quand, parfois, Liz se taisait un moment, Bill évitait de lui demander à quoi elle songeait ; il savait qu'elle avait encore du mal à se faire à l'idée qu'elle sortait avec lui, et elle lui avait expliqué à plusieurs reprises qu'il lui arrivait d'avoir le sentiment de trahir Jack. A certains égards, ce week-end ne serait pas facile pour elle, et à intervalles réguliers il la vit regarder d'un air mélancolique l'alliance qu'elle n'avait jamais cessé de porter.

Ils arrivèrent à l'hôtel peu avant l'heure du dîner. Liz fut émue par la beauté et l'élégance de l'endroit ; Bill avait vraiment tout fait pour la gâter et la rendre heureuse. La vue sur la vallée illuminée par le soleil du crépuscule lui coupa le souffle.

Bill leur servit deux verres de vin, qu'ils burent en bavardant, après quoi Liz passa dans la salle de bains afin de se changer. Elle avait apporté une robe noire neuve qu'elle avait hâte d'étrenner pour le dîner.

Ils prirent leur repas au restaurant de l'hôtel, puis allèrent s'asseoir dans le bar, devant la cheminée. Une femme chantait, accompagnée par un pianiste, et ils l'écoutèrent un moment avant de regagner leur chambre, détendus et à l'aise, main dans la main.

Aussitôt la porte de la chambre franchie, Bill embrassa Liz, et dans son baiser elle devina tout ce qu'elle représentait pour lui. En quelques minutes, ils furent emportés par la passion. Un feu brûlait dans la cheminée, les lumières étaient tamisées, et Bill avait allumé les bougies posées sur la table basse. Ils s'assirent sur le canapé, dans les bras l'un de l'autre, et lentement il lui ôta sa robe noire pendant que de son côté elle déboutonnait sa chemise. C'était merveilleux d'être là, seuls tous les deux, libres de faire ce qu'ils voulaient.

Alors, toujours avec une infinie douceur, il la guida vers le lit. Il acheva de la déshabiller lentement, sensuellement, et enfin ils se glissèrent, nus, entre les draps. Pendant une longue minute, ils ne bougèrent pas, chacun savourant la présence de l'autre, le contact de sa peau.

— Je t'aime tellement, Liz…

— Je t'aime aussi, murmura-t-elle.

C'était la première fois qu'elle le lui disait, mais les mots lui étaient venus facilement. Et c'est tout aussi facilement qu'elle succomba aux caresses de Bill et se laissa emporter par ses sens. Tout à coup, la douleur, la solitude, l'appréhension disparaissaient, comme un cocon protecteur dans lequel elle se serait lovée et dont elle n'aurait plus eu besoin. Elle s'offrait entièrement à Bill, sans crainte, sans regrets, sans fausse pudeur. Bien sûr, les souvenirs étaient toujours présents, et il y avait un peu de nostalgie dans son sourire lorsqu'elle se blottit contre son compagnon après l'amour ; mais il ne pouvait en être autrement, et il comprenait ce qu'elle ressentait.

— Ça va ? lui demanda-t-il avec douceur, inquiet pour elle.

— Très bien. Mieux que ça, même… Tu me rends si heureuse !

C'était vrai, aussi vrai en tout cas que cela pouvait l'être étant donné les circonstances.

Il vit qu'il y avait des larmes dans les yeux de sa compagne. Difficile de ne pas penser à Jack dans des moments comme celui-là, alors qu'elle se donnait à un autre. Elle venait de franchir une nouvelle étape décisive qui l'éloignait encore de Jack, une étape qu'elle avait repoussée le plus longtemps possible. Elle avait l'impression d'avoir traversé un pont, d'être passée d'une vie à une autre. Avec Bill, elle se sentait en sécurité, elle pouvait tout lui dire, et elle savait qu'il n'était ni blessé ni vexé lorsqu'elle admettait que la transition n'était pas facile pour elle.

Ils bavardèrent un long moment, allongés côte à côte dans le lit, et il reconnut n'avoir jamais aimé personne comme il l'aimait.

Au fil du week-end, les souvenirs de Jack s'estompèrent peu à peu, et Liz put s'abandonner pleinement à ce qu'elle vivait avec Bill. Ils firent de longues promenades et parlèrent de mille choses, de leur travail, des enfants de Liz, de leurs rêves. Dans la mesure du possible, ils évitèrent d'évoquer le passé ; et le dimanche matin, alors qu'ils étaient installés sur la terrasse de leur chambre d'hôtel, dominant Napa Valley, la conversation se porta tout naturellement sur l'avenir.

Bill portait un jean et un sweat-shirt, et Liz était encore en robe de chambre. La matinée de novembre était ensoleillée, quoiqu'un peu fraîche, et ils se sentaient bien. Ils lisaient le journal quand, soudain, levant les yeux, Liz vit que Bill avait posé le sien et la regardait en souriant.

— Vous avez l'air bien heureux, docteur Webster, observa-t-elle. Y a-t-il une raison particulière à cela ?

— Toi, répondit-il. Tout ça, ajouta-t-il avec un vaste geste en direction de la vallée.

Ce week-end avait un parfum de lune de miel. Le souvenir de Jack commençait à se perdre dans les brumes du passé, et bien qu'une partie d'elle-même fût encore tentée de s'accrocher à sa mémoire, Liz avait conscience de devoir aller de l'avant, désormais.

— Qu'allons-nous faire, maintenant ? lui demanda Bill avec douceur.

— Que veux-tu dire ? s'inquiéta-t-elle. Nous n'avons pas à faire quoi que ce soit, si ?

Elle paraissait sur la défensive, mais Bill ne se troubla pas.

— Non. Mais ça pourrait être agréable. Est-il trop tôt pour en parler, Liz ?

Ils avaient à nouveau fait l'amour la veille au matin, ainsi que le soir devant le feu et en se réveillant ce jour-là. Sur ce plan-là, ils s'entendaient merveilleusement, et il était difficile de croire qu'ils ne s'étaient jamais donnés l'un à l'autre avant ce week-end.

— Je n'aurais jamais cru te dire ça un jour, poursuivit-il, soudain timide tant il était amoureux et avait peur de la perdre. Mais je pense qu'à terme nous devrions nous marier.

Liz le regarda, sous le choc. Venant de lui, elle ne s'était pas attendue à cela ; une telle déclaration ne lui ressemblait pas du tout.

— Tu m'as dit que tu ne croyais pas au mariage, lui rappela-t-elle.

Il voyait aisément qu'elle était un peu effrayée par la vitesse à laquelle allaient les choses.

— Et c'était vrai, avant que je te rencontre. Je crois que c'est parce que, quelque part au fond de mon cœur, j'espérais connaître un jour ce que nous vivons en ce moment, et j'avais peur de m'engager une seconde fois avec la mauvaise personne avant d'avoir rencontré la bonne.

Liz était parfaitement capable de s'imaginer vivre auprès de lui très longtemps, peut-être même pour toujours. Mais elle n'était pas encore prête à l'admettre ouvertement. Il était trop tôt, les souvenirs de Jack étaient encore trop frais ; cela ne faisait pas encore un an qu'il était mort.

— Je ne veux rien gâcher en parlant de ça trop tôt, Liz, mais je voulais que tu saches ce que j'ai en tête.

Il avait notamment beaucoup pensé aux enfants de Liz, et il savait qu'il pourrait les aimer de tout son cœur. Il se sentait déjà très proche de Jamie et de Peter, et se disait que les filles finiraient bien par l'accepter.

— Je ne sais pas quoi dire.

Certaines de ses amies avaient passé des années entières avec des hommes qui ne les avaient jamais prises au sérieux, qui n'avaient jamais demandé leur main. Et voilà qu'après leur premier vrai week-end ensemble, Bill lui parlait déjà de mariage !

— Cela ne fait que onze mois que Jack est mort. Ce n'est pas très long. J'ai besoin de temps pour me réadapter, retrouver mes marques, et les enfants aussi.

— Rassure-toi, je comprends. Je ne suis pas pressé. Et je sais combien tu attaches de l'importance à l'anniversaire de sa mort.

C'était une date qui comptait beaucoup, pour elle comme pour les enfants, et il respectait cela.

— Peut-être pourrons-nous reparler de tout cela en janvier, après les vacances. Nous verrons comment tu te sens à ce moment-là. En fait, je me disais que pour la Saint-Valentin...

Le cœur de la jeune femme se serra à l'évocation de cette fête qui avait été si importante pour Jack et elle.

— Ce n'est que dans trois mois ! s'exclama-t-elle, paniquée.

— D'ici là, nous nous serons fréquentés six mois ; c'est rapide, mais respectable. Beaucoup de gens se marient plus vite que ça et sont très heureux.

C'était vrai, elle le savait, mais rien ne l'avait préparée à une telle proposition, et elle avait besoin de temps pour y réfléchir. Il la regarda avec amour.

— Je ferai ce que tu voudras, Liz. Je veux seulement que tu saches combien je t'aime.

— Je t'aime aussi, et je sais que j'ai beaucoup de chance. Certains ne connaissent jamais l'amour, et moi j'ai eu ce bonheur deux fois. Mais j'ai quand même besoin de temps pour digérer tout ça.

— Je le sais. Je ne veux pas te presser. Ce que j'aimerais seulement savoir, c'est s'il y a une chance pour qu'un jour tu voies les choses du même œil que moi.

— Je crois, oui, répondit-elle timidement. Il me faut seulement un peu de temps. Reparlons-en après Noël.

Elle tenait à marquer l'anniversaire de la mort de Jack, par respect pour lui, pour elle-même et pour les enfants.

— Je ne t'en demande pas plus, affirma-t-il avec douceur en prenant sa main au-dessus de la table. Je t'aime, et je ne vais pas disparaître. Nous avons tout notre temps. Du moment que nous sommes d'accord sur ce que nous voulons, rien ne presse.

Il se montrait raisonnable, tendre et attentionné. Qu'aurait-elle pu attendre de plus d'un homme ? Elle n'était même pas certaine que Jack aurait été aussi compréhensif. Son défunt mari était bien plus têtu et impatient, et il la suivait moins volontiers. C'était généralement lui qui prenait les décisions et qui la poussait de l'avant. A bien des égards, ce qu'elle partageait avec Bill était plus équilibré, et cela lui plaisait.

Ils reprirent lentement la route de Tiburon dans l'après-midi, et les enfants étaient tous à la maison quand ils l'atteignirent. Liz vit Megan hausser un sourcil lorsqu'elle descendit de la voiture de Bill, mais sur le moment l'adolescente ne dit rien ; elle n'interrogea sa mère qu'une fois les plus jeunes au lit et Peter occupé à faire ses devoirs dans sa chambre.

— Que faisais-tu dans la voiture de Bill ? demanda-t-elle. Tu as passé le week-end avec lui ?

Liz hésita un moment, puis elle hocha la tête. Si elle devait finir par épouser Bill, comme il semblait en être question, il fallait qu'elle se montre honnête envers sa fille.

— Oui. Nous sommes allés à Napa Valley.

— Maman ! s'écria Megan. C'est *répugnant* !

— Pourquoi ? Nous sommes très attachés l'un à l'autre, et il n'y a rien de répréhensible là-dedans, Meg. Nous ne faisons de mal à personne. Je crois que nous nous aimons.

— Et papa ? demanda la jeune fille, les larmes aux yeux.

— Papa est mort, Meg. Je l'aimais de tout mon cœur, et je l'aimerai toujours. Ce que je vis actuellement est très différent, tant pour moi que pour nous tous. Je ne vais pas rester seule jusqu'à la fin de mes jours, tu sais. Je veux partager ma vie avec quelqu'un, conclut-elle avec toute la douceur dont elle était capable.

— C'est immonde ! se révolta Megan, furieuse. Ça ne fait même pas un an que papa est mort. Je ne savais pas que tu étais une telle garce, maman.

Liz sursauta sous l'insulte, et elles s'affrontèrent du regard. Jamais Liz n'avait levé la main sur sa fille, et elle n'avait pas l'intention de commencer, mais elle ne pouvait pas laisser passer cela non plus.

— Ne me parle pas de cette façon, Megan ! Maintenant, va dans ta chambre. Tu reviendras quand tu seras capable de te montrer correcte. Si tu veux discuter avec moi, tu en as parfaitement le droit, mais à condition de faire preuve de respect.

— Je n'ai aucune raison de te respecter ! déclara Megan avec hauteur avant de sortir en claquant la porte.

Elle courut aussitôt dans la chambre de Peter lui raconter ce qui venait de se passer. Mais au lieu de compatir, il lui reprocha son insolence et lui enjoignit d'aller demander pardon à leur mère.

— De quel côté es-tu ? s'insurgea Megan.

— Du sien, rétorqua-t-il sans se troubler. Elle s'est toujours sacrifiée pour nous, et elle aimait papa autant que nous. Mais maintenant, elle est toute seule, et il n'y a personne pour s'occuper d'elle et lui apporter un peu de tendresse. Elle travaille comme une bête afin que nous ayons tout ce qu'il nous faut. Et de plus, Bill est un chic type et je l'aime bien. Nous aurions pu tomber beaucoup plus mal, alors je te le répète, je suis de leur côté. Ne me demande pas de te soutenir si tu te conduis mal vis-à-vis de maman, Meg.

— Crétin ! lui cria-t-elle, en larmes. Elle nous a, nous, elle n'a pas besoin de coucher avec je ne sais qui !

— Regarde un peu les choses en face, voyons ! Elle ne peut pas dormir avec Jamie jusqu'à la fin de ses jours. Que se passera-t-il quand nous serons à l'université ? L'année prochaine, je ne serai plus là, et dans deux ans, c'est toi qui t'en iras. Devra-t-elle rester ici entre quatre murs à attendre nos visites sans rien faire ? Sans papa, elle n'a plus de vie, Meg. Regarde-la : elle ne fait que travailler du matin et soir et faire le chauffeur pour vous quatre. Elle mérite mieux que ça et tu le sais très bien.

— Pas encore, protesta Megan en se laissant tomber sur le lit de son frère. Il est trop tôt. Je ne suis pas prête…

Il s'assit à côté d'elle et posa un bras sur ses épaules.

— Papa me manque, sanglota-t-elle.

On aurait cru entendre Jamie.

— Il me manque aussi, avoua Peter, luttant pour ne pas joindre ses pleurs aux siens.

Même s'il avait énormément mûri au cours de la dernière année, et plus encore depuis son accident, il souffrait toujours de la disparition de son père.

— Mais que Bill soit là ou pas, cela n'y changera rien. On ne peut rien faire, Meg. Nous sommes obligés d'accepter ce qui s'est passé.

— Je ne veux pas, gémit-elle. Je veux qu'il revienne.

Que répondre à cela ? Le cœur gros, Peter la serra contre lui et la laissa pleurer tout son soûl sans rien dire. Enfin, elle se calma un peu et alla s'excuser auprès de sa mère. Elle entra sans frapper dans la chambre de Liz et s'immobilisa sur le seuil, embarrassée.

— Lui, je ne l'aime pas, mais je regrette ce que j'ai dit à propos de toi.

Liz hocha lentement la tête, une expression sévère sur le visage.

— Je suis désolée que tu sois si malheureuse, Meg. Je sais que ce n'est pas facile.

— Non, tu ne comprends pas ce que nous éprouvons, nous. Tu l'as, *lui*, maintenant ! accusa l'adolescente.

Liz étouffa un soupir.

— Ce n'est pas parce que je suis avec Bill que papa me manque moins, ma chérie. Parfois, c'est même le contraire. C'est dur pour nous tous, et je sais ce que vous ressentez.

— Est-ce que tu l'aimes vraiment, maman ?

Megan avait toujours l'air horrifiée par la déclaration de sa mère et semblait regretter qu'elle lui ait fait cette révélation.

— Je crois, reconnut Liz avec franchise. J'ai besoin de temps pour que tout soit plus clair dans ma tête.

C'est quelqu'un de bien, pour l'instant c'est tout ce que je sais. J'ai encore beaucoup de choses à régler de mon côté.

— On dirait que tu veux à tout prix oublier papa.

— Je ne pourrai jamais l'oublier, Meg. Quoi que je fasse, où que j'aille… Je l'ai aimé pendant la moitié de ma vie, et nous vous avons eus tous les cinq… Il est injuste qu'il nous ait été arraché ainsi, mais maintenant nous devons assumer ce qui s'est passé et continuer à avancer, comme il l'aurait voulu.

— Tu dis ça uniquement pour te donner bonne conscience.

— Non. Je le dis parce que je le pense.

A ces mots, Megan se contenta de secouer la tête et retourna dans sa chambre. Après son départ, Liz se dirigea lentement vers la boîte à bijoux qu'elle gardait dans son dressing, et elle ôta l'alliance que Jack avait passée à son doigt tant d'années plus tôt. Elle eut l'impression que ce geste lui broyait le cœur, mais elle savait que le moment était venu. S'il s'en aperçut le lendemain matin, Peter ne fit aucun commentaire.

Durant les deux semaines qui suivirent, Megan fit un effort pour se montrer un peu plus courtoise envers Bill lorsqu'il venait chercher sa mère. Elle ne lui disait pas grand-chose mais n'était plus ouvertement désagréable, et Liz lui en était reconnaissante. Pour le moment, elle ne pouvait espérer plus. Jamie et Peter, quant à eux, appréciaient toujours autant le médecin et ne manquaient pas une occasion de lui témoigner leur affection.

Liz passait beaucoup de temps avec lui, et ils allaient souvent chez lui faire l'amour lorsqu'il n'était pas de service. Parfois, ils s'éclipsaient aussi quand il était de garde, et même si invariablement le téléphone sonnait à un moment ou à un autre, le rappelant à l'hôpital, cela ne dérangeait pas Liz. Elle respectait infiniment le travail de Bill, plus même que le sien, en vérité. Le droit familial la déprimait de plus en plus. Travailler avec Jack avait été intéressant et amusant, mais sans lui c'était sinistre. Tous ces divorces lui semblaient frivoles, mesquins, inutiles. Elle n'était vraiment satisfaite que lorsqu'elle parvenait à trouver un arrangement satisfaisant pour les enfants des couples qui se séparaient.

— Je n'en peux plus, dit-elle à Bill un jour qu'ils partageaient un sandwich à la cafétéria de l'hôpital.

Elle revenait du tribunal et était furieuse contre l'un de ses clients, qui s'était comporté comme un malotru envers sa femme devant le juge. Elle avait été tentée de se démettre du dossier, mais ne l'avait pas fait.

— Plaider ne m'amuse même plus.

— Tu as peut-être seulement besoin de prendre un peu l'air.

Elle n'avait eu que deux semaines de congés l'année précédente et avait constamment travaillé, y compris le week-end et la nuit, pour faire face à la double charge de travail qui était la sienne.

— Je devrais peut-être faire une formation d'esthéticienne et trouver un emploi dans un institut de beauté. Je t'assure que j'aurais le sentiment d'être plus utile.

— Ne sois pas trop dure avec toi-même, dit-il en souriant.

Mais elle n'arrivait pas à se dérider.

— Jack adorait le droit familial, c'était davantage son truc que le mien. C'est à son contact que j'ai appris ce que je sais. Mais maintenant...

Les clients de la jeune femme auraient été abasourdis de l'entendre : elle était sans conteste l'une des meilleures avocates de la région dans son domaine, et nul n'aurait pu deviner que le droit familial n'était pas sa passion, tant elle paraissait toujours pleine d'énergie, d'idées brillantes et de suggestions créatives. Dernièrement, cependant, elle se sentait comme un jouet dont les piles seraient usées. Elle ne prenait plus plaisir à faire son travail et n'était pas heureuse. Elle continuait uniquement parce qu'elle avait l'impression de devoir cela à Jack.

Elle demanda à Bill ce qu'il avait l'intention de faire pour Thanksgiving. Lorsqu'ils en avaient parlé, la semaine précédente, il ignorait encore s'il serait de service ou non ; mais il venait d'apprendre qu'il aurait sa journée et ne serait même pas de garde. Il le lui dit.

— Dans ce cas, pourquoi ne viendrais-tu pas dîner avec nous ? suggéra Liz.

Les enfants commençaient à s'habituer à lui, et ce pourrait être une bonne occasion pour eux d'apprendre à mieux le connaître. Thanksgiving était une fête que toute la famille appréciait du temps de Jack. Evidemment, ce serait différent cette année, pour eux tous.

La réaction des enfants, lorsqu'elle leur annonça que Bill fêterait Thanksgiving avec eux, prit Liz de court. Elle s'était attendue à une crise de rage de Megan, et ne fut pas déçue, mais elle n'avait pas prévu que Rachel et Annie se mettraient de la partie :

elles déclarèrent avec force que Bill Webster n'était pas de la famille et n'avait rien à faire chez eux ce jour-là. Même le petit Jamie parut un peu choqué qu'elle l'eût invité.

Déstabilisée, elle demanda à Peter si elle devait annuler son invitation, mais le jeune homme estima que ce serait cruel vis-à-vis de Bill. D'ailleurs, lui se réjouissait à l'idée de voir le médecin. Se rangeant à son avis, Liz décida de ne pas parler de la réaction des enfants à Bill et se contenta d'espérer qu'ils fussent accueillants le jour venu.

Hélas, elle comprit vite qu'elle s'était montrée trop optimiste. Quand le médecin sonna à la porte, les trois filles étaient encore très en colère contre leur mère.

Bill entra, vêtu d'une veste en tweed, d'un pantalon gris et d'une chemise blanche égayée par une cravate rouge. Liz, de son côté, portait un tailleur pantalon en velours brun. Tous les enfants étaient sur leur trente et un ; Peter portait le costume qu'il avait mis pour l'enterrement de son père, et Jamie un pantalon en flanelle grise et un blazer. Ils faisaient plaisir à voir, et tandis qu'elle servait un verre de vin à Bill, Liz se réjouissait de sa présence parmi eux. Elle savait à quel point la table de fête leur aurait paru sinistre, s'ils n'avaient été que tous les six ; le dîner se serait transformé en commémoration funèbre. Avec un invité, ils allaient devoir faire bonne figure et avoir une conversation plus ou moins normale.

Selon la tradition familiale, le dîner de Thanksgiving commença à dix-sept heures par le bénédicité, dit par Liz. Elle remercia Dieu pour tous ses bienfaits, pour les personnes présentes autour de la table et eut une pensée spéciale pour les absents, et surtout Jack. Il y eut ensuite un long moment de silence, durant lequel Megan décocha à Bill un regard appuyé. Puis Liz dit « Amen », et partit avec Peter chercher la dinde dans la cuisine.

C'était une bête splendide, et Liz l'avait cuite à la perfection. Carole était en congé pour le week-end, et c'étaient les filles qui l'avaient aidée à préparer la farce. Rachel en particulier aimait beaucoup faire la cuisine, et bien sûr Jamie avait mis la main à la pâte. Mais quand Peter essaya de découper la dinde, il se révéla parfaitement incompétent. Voyant son embarras, Bill se leva et s'approcha de lui en souriant.

— Laisse-moi te donner un coup de main, fiston, proposa-t-il avec amabilité.

Il passait un bon moment. Cela faisait des années qu'il n'avait pas réellement célébré Thanksgiving : d'ordinaire, il travaillait toujours ce jour-là.

Malheureusement, il s'était montré maladroit dans le choix de ses mots, et Megan s'empressa d'observer, à mi-voix mais suffisamment fort pour qu'il l'entende :

— Peter n'est pas votre fils.

Surpris par son ton venimeux, Bill jeta un coup d'œil à Liz avant de se tourner vers l'adolescente.

— Je suis désolé, Megan. Je ne voulais blesser personne.

Un silence pesant s'abattit sur la tablée pendant qu'il découpait la dinde avec dextérité. Liz se leva alors pour distribuer les assiettes qu'il remplissait, tout en parlant avec une volubilité inhabituelle pour masquer sa gêne. Peu à peu, l'atmosphère se détendit, mais le repas fut néanmoins plus calme qu'à l'ordinaire. C'était le premier Thanksgiving que les enfants célébraient sans leur père, et tout le monde pensait déjà avec angoisse aux fêtes de fin d'année qui approchaient.

Bill leur demanda s'ils avaient déjà fait leurs courses de Noël, et comprit à leurs mines attristées que ce n'était pas une bonne question à leur poser. Par chance, Jamie fit bientôt une plaisanterie qui déclencha l'hilarité générale, et Annie enchaîna en évoquant la fois où leur père avait fait tomber la dinde par terre dans la cuisine en la découpant et où ils n'avaient rien dit à Liz.

Bill rit avec eux et Liz lui servit un autre verre de vin. Lorsqu'ils portèrent les assiettes sales à la cuisine et revinrent avec le dessert, Rachel observa à voix haute qu'il buvait trop, et Bill l'entendit.

— Je te rassure, je ne suis pas de garde aujourd'hui, dit-il avec un sourire chaleureux.

Mais elle ne réagit pas.

Bill n'était pas ivre, loin de là ; il n'avait bu que trois verres de vin en plusieurs heures, et se sentait simplement détendu et heureux. Pendant quelques minutes, il parla football américain avec Jamie.

— Papa avait horreur du football, déclara Megan d'un air provocant.

— Je suis désolé de l'apprendre. C'est un sport passionnant. Je jouais beaucoup, à l'université.

— Papa disait toujours que seuls les imbéciles et les brutes jouaient au football.

Cette fois, elle avait dépassé les bornes, et sa mère s'empressa d'intervenir.

— Megan, ça suffit !

— Oui, absolument, ça suffit ! renchérit l'adolescente en jetant sa serviette sur la table et en repoussant sa chaise, les larmes aux yeux. Pourquoi faut-il qu'il soit là avec nous ? Ce n'est pas notre père, c'est seulement ton petit ami.

Elle avait quasiment craché ces deux derniers mots.

Les autres enfants ne pipaient mot, abasourdis. Liz tremblait lorsqu'elle répondit :

— Bill est notre ami à tous, et aujourd'hui nous fêtons Thanksgiving. C'est le principe même de cette fête : des amis réunis autour d'une table pour remercier le Seigneur et se donner la main en toute fraternité.

— C'est ça que tu fais avec lui ? Tu lui « donnes la main en toute fraternité » ? Laisse-moi rire ! Je suis prête à parier que tu vas beaucoup plus loin, et que là où il est, papa te déteste de lui faire ça.

Là-dessus, Megan partit en courant dans sa chambre et claqua la porte. Peter se pencha vers Bill et lui présenta des excuses ; mais à leur tour, Rachel et Annie se levèrent de table et s'éclipsèrent, pendant que Jamie, ni vu ni connu, reprenait une part de tarte aux pommes.

— Au moins, je sais où j'en suis, observa sombrement Bill.

Liz lui jeta un regard désemparé. Elle comprenait à présent qu'elle s'était montrée trop ambitieuse en voulant l'inviter à passer cette journée de fête avec eux. L'inclure dans la famille ne serait pas aussi aisé qu'ils l'avaient espéré. En fait, ce serait un cauchemar.

— Je vais monter lui parler, déclara Peter, gêné. Je suis vraiment désolé, Bill.

— Ne t'inquiète pas. Je comprends.

Mais ce n'était pas l'exacte vérité : il avait beaucoup de mal à accepter l'attitude des filles envers lui. Le visage fermé, il se tourna vers Liz, qui se tamponnait doucement les yeux avec sa serviette de table.

— Je pense que c'est plus dur pour elles que je ne l'aurais cru, soupira-t-elle.

— Ce n'est pas exactement une partie de plaisir pour moi non plus, observa-t-il sèchement. Je n'apprécie guère de jouer le rôle de l'intrus. Elles se comportent comme si j'étais un psychopathe, ou comme si c'était moi qui avais assassiné leur père.

Il était blessé dans son ego et ne pouvait s'empêcher de s'en prendre à Liz. La jeune femme avait l'impression que le monde entier lui en voulait : ses filles, et maintenant Bill... Seul Jamie paraissait parfaitement serein, entamant sa troisième part de tarte. Il ne restait qu'eux trois autour de la table.

— Il faut que tu comprennes combien c'est difficile pour elles, insista Liz. C'est leur premier Thanksgiving sans leur père.

— Je le sais, Liz. Mais je n'y suis pour rien.

Il avait élevé la voix en prononçant ces derniers mots, et Jamie leva vers lui un regard consterné.

— Personne n'a dit que c'était ta faute. Simplement, tu es là et pas lui. C'est moi la responsable, je n'aurais pas dû te proposer de venir, conclut Liz dans un sanglot.

Jamie les observait en silence.

— En tout cas, fais-moi confiance, l'année prochaine je me porterai volontaire pour être de garde à l'hôpital durant tout le week-end. Il est évident que je ne serai jamais le bienvenu ici, du moins tant que tes enfants vivront encore avec toi.

— Vous viendrez pour Thanksgiving l'année prochaine ? demanda Jamie avec intérêt.

— J'en avais l'intention, mais maintenant je n'en suis plus très sûr, rétorqua Bill d'un ton sec.

Il se reprocha aussitôt de s'être montré si dur envers le petit garçon. Honteux, il prit sa main dans la sienne et baissa la voix pour ne pas l'effrayer.

— Je suis désolé... Je suis un peu contrarié, c'est tout, s'excusa-t-il.

— Megan a été méchante, et Annie aussi, déclara Jamie. Elles ne vous aiment pas ?

Il paraissait triste pour son ami. Liz vit Bill serrer la mâchoire avec colère.

— Je suppose que non. C'est bien le problème, n'est-ce pas ? ajouta-t-il en se tournant de nouveau vers elle. Je suis indésirable ici, et si je m'imagine que ça peut changer, je me fais des illusions. Comme Megan l'a si justement souligné au début du repas, je ne suis pas leur père et je ne le serai jamais.

— Personne ne te demande de l'être, répondit Liz en s'efforçant de garder une voix posée. Tu dois seulement devenir leur ami. Nul n'attend de toi que tu remplaces Jack.

— Le problème est peut-être précisément là, Liz. Je me faisais des illusions en m'imaginant que je pourrais être important pour eux, important pour toi, quand en fait je ne suis qu'un importun. A vos yeux à tous, je n'arriverai jamais à la cheville de Jack. Qu'a dit Megan, déjà ? « Un imbécile et une brute » ?

— Elle cherchait seulement à te provoquer.

Liz était déchirée entre son amour de mère et ses sentiments pour lui, et ne savait comment réagir.

— Eh bien, elle a parfaitement réussi. En fait, ajouta-t-il en se levant et en posant sa serviette sur la table, je crois qu'il est temps pour moi de vous laisser entre vous. Nul doute que ce sera un grand soulagement pour tout le monde. Je retourne travailler.

— Je croyais que tu n'étais pas de service, aujourd'hui ?

— Je pense que je vais quand même aller faire un tour à l'hôpital. Au moins, là-bas, je sais ce que je fais. Je crains que les scènes de famille ne soient pas mon fort, surtout les jours de fête.

Il avait l'impression d'avoir été piégé dès le départ. Pendant un long moment, il regarda Liz en silence.

— Merci pour le dîner, dit-il enfin. Je t'appelle bientôt.

Et sans un mot de plus, il sortit en claquant la porte d'entrée derrière lui, laissant Liz comme paralysée.

Jamie leva les yeux vers sa mère.

— Il a oublié de me dire au revoir. Est-ce qu'il me fait la tête ?

— Non, mon chéri, c'est contre moi qu'il est furieux. Tes sœurs ont été très impolies envers lui.

— Tu vas leur donner la fessée ?

Cette question la fit sourire. Elle n'avait jamais usé de violence envers ses enfants et n'allait pas commencer à leur âge, mais elle devait bien avouer que l'idée était tentante.

— Non, répondit-elle, même si elles ne l'auraient pas volé.

— Le père Noël va mettre du charbon dans leurs souliers, déclara le garçonnet d'un ton solennel.

Sa mère esquissa un sourire triste. L'idée même de Noël la faisait frémir. Ce serait l'anniversaire de la mort de Jack, et après ce qui s'était passé ce soir, il était clair qu'elle ne pourrait pas inviter Bill à se joindre à eux pour les fêtes. Elle avait durement appris la leçon.

Jamie et elle achevèrent de débarrasser la table, puis elle monta à l'étage parler à ses filles. Peter était avec elles, et il était clair que Megan avait pleuré.

— Je le hais ! cracha-t-elle dès que sa mère entra dans la pièce.

Liz parvint néanmoins à garder son calme.

— Je ne pense pas, Meg, répondit-elle posément. Pourquoi le haïrais-tu ? C'est un homme très gentil, même s'il jouait au football à l'université. Ce que tu hais, c'est que ton père ne soit plus là. Moi aussi, crois-moi. Mais nous n'y pouvons rien. Et ce n'est pas la faute de Bill. Je n'aurais pas dû l'inviter à se joindre à nous aujourd'hui, je suis désolée.

Peter lui effleura le bras avec un sourire rassurant. Il admirait sa force, sa franchise, et savait combien elle les aimait. Il n'oubliait pas tout ce qu'elle avait fait pour lui après son accident, et il était peiné pour elle que Thanksgiving se soit si mal passé et que Megan ait pris Bill comme bouc émissaire. A l'instar de Liz, il comprenait parfaitement ce qui se passait dans la tête de sa sœur, et il pensait que Bill avait réagi trop violemment à l'agressivité de l'adolescente. Il le dit à sa mère en la raccompagnant dans sa chambre, un peu plus tard.

— Je ne peux guère lui en vouloir, soupira-t-elle. Il n'a pas l'habitude des jeunes, et les filles n'y sont pas allées de main morte... Tu sais, il n'a pas d'enfants, et sa seule expérience conjugale remonte à plus de dix ans. Je crois qu'il a été blessé. Il a l'impression de ne pas pouvoir soutenir la comparaison avec votre père.

— Laisse-lui un peu de temps, lui conseilla Peter en souriant. Les filles finiront bien par s'habituer à lui.

— Je l'espère.

Une fois seule, Liz ôta ses chaussures et se laissa tomber tout habillée sur son lit, dans le noir. Pendant un long moment, elle songea à Jack, à Bill et aux enfants. La situation était compliquée, et il fallait de surcroît qu'elle prenne en compte ses propres sentiments, son propre chagrin, son propre deuil. Comme elle pensait à son mari, des larmes lui montèrent aux yeux. Il lui manquait tant ! Il avait laissé un trou béant derrière lui, et parfois elle avait l'impression qu'elle ne pourrait jamais combler ce vide. Elle aimait Bill, mais pas comme elle avait aimé Jack. Du moins, pas encore.

Le téléphone sonna, et elle décrocha sans allumer la lumière. C'était Bill, et elle devina à sa voix qu'il était toujours aussi en colère qu'en partant, sinon plus.

— J'ai quelque chose à te dire, commença-t-il.

Liz ferma les yeux, le cœur lourd.

— Je t'écoute.

— Je suis désolé, Liz, mais je ne peux pas continuer ainsi. J'y ai réfléchi, et je ne sais pas ce qui m'est arrivé. Je crois que je suis devenu fou, pendant quelque temps. Je t'ai rencontrée, je suis tombé amoureux de toi, tu avais l'air si vulnérable, et ta famille semblait si attachante, vue de l'extérieur... Je me suis laissé prendre au piège. Mais j'allais à l'encontre de ma nature profonde, je m'en rends compte à présent.

Les yeux de Liz s'ouvrirent brusquement et elle fixa l'obscurité, le cœur battant à se rompre.

— Qu'essaies-tu de me dire ?

Mais elle connaissait déjà la réponse à cette question.

— Que j'ai fait une erreur, et que c'est terminé. Je t'aime, et tes enfants sont formidables. Mais je ne peux pas continuer. Megan nous a rendu à tous un fier service, aujourd'hui. Il aurait pu nous falloir des mois, voire des années pour nous rendre compte de l'évidence. Tout m'est apparu clairement après mon départ. Je suis allé courir, et soudain j'ai tout compris... J'ai perdu la tête pendant quelque temps, mais Dieu merci ça va mieux. Liz... je suis désolé, mais c'est terminé.

A court de mots, Liz se mordit la lèvre. Elle avait l'impression d'avoir reçu un coup de poing à l'estomac. Cela lui rappelait les vagues de panique successives qui l'avaient submergée à la mort de Jack. Maintenant, elle perdait Bill... Elle avait à peine eu le temps de s'habituer à lui, de lui ouvrir la porte de son cœur, que déjà il voulait sortir de sa vie. C'était fini. Elle l'avait perdu. Merci, Megan.

— Tu ne veux pas réfléchir quelque temps ? demanda-t-elle enfin, s'efforçant de le raisonner. Tu as été blessé, il est normal que tu souffres. Mais les filles finiront bien par s'habituer à toi, tu sais. Elles ont seulement besoin de temps.

— Ça ne sert à rien, Liz. Ce n'est pas ce que je veux, je m'en rends compte clairement à présent. Nous devrions être tous les deux heureux de nous en être aperçus à temps.

Mais Liz était loin d'être heureuse. Au contraire, elle était anéantie.

— Je t'appellerai dans quelques jours pour prendre de tes nouvelles, poursuivit Bill. Je suis désolé, vraiment, mais c'est ainsi que les choses devaient se passer, je le sais.

Que savait-il exactement, et comment le savait-il ? Deux des filles de Liz s'étaient montrées grossières envers lui, mais ce n'étaient que des enfants, et elles souffraient de l'absence de leur père. Pourquoi en faire un tel drame ?

— Et si tu prenais le temps de te calmer un peu ? Nous pourrons en rediscuter plus tard.

— Il n'y a pas à en rediscuter. C'est fini, Liz. Il faut que tu comprennes.

Pourquoi ? Pourquoi fallait-il qu'elle comprenne et admette les comportements odieux de tous ceux qui l'entouraient ? Pourquoi devait-elle toujours leur trouver des excuses ?

— Je t'aime, dit-elle, des larmes dans la voix.

— Tu t'en remettras. Et moi aussi. Je n'ai vraiment pas besoin d'un second divorce, et tu as assez de problèmes comme ça dans ta vie. Tu peux dire aux enfants de se détendre, la brute imbécile est sortie de leur vie. Ils peuvent sortir le champagne.

Il s'exprimait avec amertume et colère.

— Jamie et Peter t'adorent. Que suis-je censée leur dire ?

— Que nous avons fait une erreur et que nous nous en sommes rendu compte avant qu'il ne soit trop tard. Bon, à présent je vais raccrocher, Liz. Il n'y a plus rien à dire. Au revoir.

Il prononça ces derniers mots d'un ton si définitif qu'elle en eut le souffle coupé. Avant même qu'elle ait pu répondre, il avait reposé le combiné.

En larmes, elle serra longuement le téléphone contre elle avant de raccrocher. Elle n'arrivait pas à réaliser ce qui venait de se produire. Il avait eu une « révélation », et maintenant leur histoire était terminée. Comme elle aurait voulu le secouer, l'obliger à regarder la réalité en face, à ravaler sa fierté ! Mais il était trop tard. Il ne ferait plus marche arrière désormais.

Et pour la première fois, ce fut sur Bill, et non sur son défunt mari, qu'elle pleura jusqu'à ce que le sommeil l'emporte.

11

Après le fiasco de Thanksgiving, Liz passa plusieurs jours dans un état second. Elle n'avait dit à personne que Bill avait rompu avec elle, pas même à Victoria lorsqu'elle l'avait eue au téléphone. Surtout, elle n'en avait pas parlé à sa mère, redoutant d'entendre cette dernière lui dire qu'elle l'avait prévenue. En effet, Helen l'avait mise en garde, estimant qu'inviter Bill à fêter Thanksgiving avec eux était une erreur. Sur le moment, Liz avait seulement pensé que sa mère était jalouse de ne pas être conviée.

Liz ne s'était pas sentie aussi mal depuis des mois, et cela se voyait. Elle était triste et fatiguée, et se montrait souvent irritable envers les enfants. Au début, Carole et Jane pensèrent qu'elle appréhendait les fêtes de fin d'année et les souvenirs qu'elles ne manqueraient pas de raviver ; mais ce fut Jane qui, la première, comprit ce qui s'était passé. Bill avait cessé d'appeler.

— Est-ce que vous vous êtes querellés ? demanda-t-elle avec précaution un après-midi, une semaine après Thanksgiving.

Liz lui décocha un regard sombre. Ses yeux étaient cernés, et elle avait perdu du poids au cours des derniers jours ; elle avait encore plus de mal à dormir qu'à l'accoutumée.

— Il m'a plaquée. Les enfants, ou du moins Megan et Rachel, ont été détestables avec lui le jour de Thanksgiving, et il a craqué. De fait, elles ont été odieuses, et il ne lui en a pas fallu plus pour se convaincre qu'il avait fait une énorme erreur et que notre histoire n'était que le fruit d'une folie passagère. Vous vous rendez compte ? Il y a deux semaines, il m'avait demandé de l'épouser le jour de la Saint-Valentin. Et notre couple n'a pas tenu jusqu'à Thanksgiving !

— Peut-être est-il seulement paniqué, suggéra Jane.

Elle n'avait pas vu Liz dans un tel état depuis des mois et cela l'inquiétait. Elle paraissait désespérément malheureuse, et pour tout arranger cela s'était mal passé pour elle au tribunal, ce matin-là.

— Il va revenir, Liz. Laissez-le se calmer quelques jours.

— Je ne pense pas. Je crois qu'il était sérieux.

Elle en eut confirmation lorsqu'elle essaya de lui téléphoner à la fin de la semaine et qu'il ne la rappela pas. Elle finit par lui laisser un message sur son bipeur, la mort dans l'âme, mais il ne prit la peine de la recontacter qu'au bout de quelques heures. Il lui expliqua d'une voix distante et glaciale qu'il avait été retenu par une urgence.

— Je voulais juste savoir comment tu allais, dit-elle en s'efforçant d'adopter un ton léger.

— Tout va bien, Liz. Merci de ton coup de fil. Bon, écoute, je suis désolé, mais je suis très occupé.

— Appelle-moi à l'occasion.

Elle se détestait de se montrer aussi pathétique, mais c'était plus fort qu'elle. Sans pitié, Bill s'empressa de la remettre à sa place.

— Je ne pense pas que ce soit une très bonne idée pour l'instant. Nous avons tous les deux besoin de panser nos plaies et de nous remettre de ce qui s'est passé.

— Et que s'est-il passé, exactement ? insista-t-elle.

— Tu le sais très bien : j'ai recouvré la raison. Je n'ai pas ma place dans ta famille, Liz. Tu es une femme formidable et je t'aime énormément, mais ça ne marchera jamais entre nous. Du moins, pas pour moi. Tu trouveras quelqu'un d'autre, une fois que les enfants et toi serez remis de la mort de Jack. Mais de toute façon, ça risque de prendre un certain temps.

Pourtant, ce n'était pas à Jack qu'elle avait pensé toute la semaine précédente, mais bien à lui. Pour la première fois en onze mois, l'image de Jack semblait s'estomper dans son esprit, et la douleur que lui avait infligée Bill prenait le pas sur celle qu'elle éprouvait en permanence depuis la mort de son mari.

— Si nous nous aimons vraiment, nous pouvons nous en sortir. Pourquoi refuses-tu d'essayer ?

— Pour une très bonne raison, répondit-il sèchement : je n'en ai pas envie. Je n'ai pas envie d'être marié, ni d'avoir des enfants — en particulier les enfants d'un autre qui me rejettent. Le message était très clair, l'autre soir.

— Ils finiront par s'habituer, plaida-t-elle, consciente de son ton suppliant.

C'était humiliant, mais elle s'en moquait. Elle avait compris combien elle l'aimait. Hélas, il était manifestement trop tard : il refusait de lui laisser une chance.

— Eux peut-être, répondit Bill, mais pas moi. Et une fois de plus, je n'en ai pas envie. Trouve-toi quelqu'un d'autre.

C'était cruel, mais cela avait le mérite d'être clair.

— C'est *toi* que j'aime. Il ne s'agit pas d'un médicament générique, docteur.

— Je ne peux pas t'aider, rétorqua-t-il froidement. Et je dois retourner aux urgences, j'ai un gamin de cinq ans avec une trachéotomie, qui m'attend. Joyeux Noël, Liz.

Liz aurait aimé le haïr pour sa brutalité, mais elle n'y parvenait pas. Elle n'avait pas l'énergie de le détester. Elle avait l'impression qu'on lui avait ôté tout ressort le soir de Thanksgiving, et d'une certaine manière, c'était un peu ce que Bill avait fait en la quittant.

Cet après-midi-là, elle rentra chez elle le cœur encore plus lourd qu'à l'ordinaire. Dans la cuisine, Jamie préparait des biscuits de Noël avec Carole. En voyant sa mère, il s'empressa de lui demander où était Bill, et elle ne sut que lui répondre. Il est parti ? C'est terminé ? Il ne nous aime plus ? Difficile de trouver un moyen de dire ce qui s'était passé sans blesser l'enfant.

— Il est… très occupé, Jamie. Il n'a pas le temps de nous voir en ce moment.

— Est-ce qu'il est mort ? s'enquit le garçonnet d'un air inquiet.

Dans son esprit, les gens qui disparaissaient du jour au lendemain comme son père étaient obligatoirement morts.

— Non, mais il n'a pas envie de nous voir pendant quelque temps.

— Il me fait la tête ?

— Non, mon chéri.

— Il avait dit qu'il m'apprendrait à jouer avec son cerf-volant, mais il ne l'a jamais fait.

— Peut-être que tu devrais en demander un au père Noël, cette année, suggéra Liz, vidée.

Que pouvait-elle lui dire de plus ? Bill était sorti de leurs vies, et rien n'aurait pu le convaincre de revenir vers eux, elle le savait à présent. Supplier, cajoler, raisonner était inutile. Elle avait fait tout son possible cet après-midi au téléphone, et une chose était claire : il ne voulait plus d'elle. Cela ne se discutait pas.

— Ce ne sera pas pareil si c'est le père Noël qui me l'apporte, dit Jamie d'une voix triste. Le cerf-volant de Bill était spécial parce qu'il l'avait fabriqué lui-même.

— Peut-être pourrions-nous en fabriquer un, nous aussi, répondit-elle en luttant contre ses larmes.

Si elle avait été capable de l'entraîner au saut en longueur, elle pouvait sans doute monter un cerf-volant. Mais où cela s'arrêterait-il ? Combien de choses devrait-elle apprendre, combien de rêves devrait-elle sacrifier à sa famille, sous prétexte qu'un malade avait tiré sur Jack et que Bill avait paniqué et décidé de les laisser seuls ? Pourquoi était-ce toujours à elle de ramasser les morceaux ?

Carole partit peu après chercher les filles à l'école, et dès qu'elles entrèrent dans la maison, Jamie les mit au courant de la nouvelle.

— Bill ne veut plus nous voir.

— Tant mieux, rétorqua Megan d'une voix forte.

Cependant, elle décocha un coup d'œil coupable à sa mère, consciente de se montrer peu charitable. Elle voyait bien que Liz avait l'air très malheureuse.

— Ce n'est pas très gentil, observa la jeune femme si tristement que Megan lui présenta des excuses.

— Je ne l'aime pas, c'est tout, ne put-elle s'empêcher d'ajouter.

— Tu le connais à peine !

Megan se contenta de hocher la tête et monta dans sa chambre faire ses devoirs. Il ne restait que trois semaines d'école avant les vacances de Noël, mais l'atmosphère dans la maison était loin d'être à la fête, et quand Liz se résolut enfin à sortir les décorations de Noël, cela lui brisa le cœur.

Elle avait décidé, cette année, de ne pas mettre de lumières dans le jardin et à l'extérieur de la maison, comme Jack le faisait toujours, et de se contenter de décorer l'intérieur. Deux semaines avant Noël, elle emmena les enfants acheter un sapin, mais tous avaient le cœur lourd lorsqu'ils l'installèrent dans le salon.

Cela faisait deux semaines qu'elle n'avait plus de nouvelles de Bill, et elle devinait qu'elle n'en aurait plus jamais. Il avait pris sa décision et avait l'intention de s'y tenir. Elle finit par tout raconter à Victoria, qui fut désolée pour elle et lui proposa de l'emmener déjeuner ; mais Liz n'avait pas envie de sortir et déclina son offre.

Plus Noël approchait, plus l'atmosphère dans la maison devenait pesante. Tous sombraient peu à peu dans la tristesse. Jack était mort depuis presque un an, mais soudain ils avaient l'impression que c'était la veille. Les enfants parlaient de lui constamment ; quant à Liz, elle oscillait en permanence entre son chagrin d'avoir perdu Bill et les souvenirs douloureux de son défunt mari. Elle passait le plus clair de son temps dans sa chambre et ne recevait personne. Elle refusait toutes les invitations et décida même de ne pas convier sa mère à se joindre à eux pour les fêtes. Elle lui expliqua qu'elle voulait être seule avec les enfants. Helen parut blessée de cette décision mais affirma comprendre ; elle déclara qu'elle inviterait une amie à elle, veuve elle aussi, à passer Noël avec elle.

Liz envisagea un moment d'emmener les enfants skier entre Noël et le jour de l'an, mais ils n'étaient pas d'humeur à cela et décidèrent de rester à la maison. Tous s'enlisaient dans les sables mouvants de leurs souvenirs qui, pernicieusement, menaçaient de les submerger.

Liz était à son bureau, la semaine précédant Noël, lorsqu'une de ses clientes l'appela et lui demanda d'une voix inquiète si elle accepterait de la recevoir le jour même. La jeune femme était libre cet après-midi-là et lui donna rendez-vous.

Ce qu'elle apprit de la bouche de sa cliente ne lui plut guère. L'ex-mari de cette dernière mettait régulièrement en danger la vie de leur fils : il l'avait emmené sur l'autoroute en moto sans lui mettre de casque, lui avait fait faire un tour en hélicoptère une semaine seulement après avoir eu son permis de piloter et le laissait aller seul à l'école à vélo sur une route très fréquentée, toujours sans casque. Helene, la cliente de Liz, voulait faire annuler le droit de visite de son ex-mari, et elle souhaitait également, pour faire bonne mesure, s'attaquer à son entreprise et à ses biens personnels.

En entendant cela, Liz secoua fermement la tête, assaillie par les souvenirs.

— Nous n'allons pas lui faire ça, déclara-t-elle sans hésiter. Je vais demander une médiation, et l'on établira une liste de choses qu'il n'aura pas le droit de faire avec votre fils. Mais nous n'allons pas le traîner devant le tribunal, ni nous en prendre à son patrimoine.

Elle s'était exprimée avec une telle véhémence que sa cliente la regarda d'un air soupçonneux.

— Pourquoi donc ? demanda-t-elle, imaginant un instant que Liz était de mèche avec son mari.

— Parce que c'est trop dangereux, répondit simplement Liz.

Elle avait perdu cinq kilos au cours des dernières semaines et était pâle et fatiguée, mais elle paraissait si sûre de son fait que son interlocutrice hocha la tête.

— J'ai déjà eu un cas comme celui-ci par le passé, reprit Liz. Le seul moyen d'obliger l'homme à tenir ses engagements était de geler ses biens.

— Et ça a marché ?

— Non. Il a tué sa femme, mon mari, et il s'est suicidé. C'était l'année dernière à Noël. Si vous vous montrez trop dure envers votre ex-mari, il risque de se retourner contre vous ou contre votre fils.

Il y eut un long silence. Enfin, Helene hocha la tête.

— Je suis désolée.

— Merci. Moi aussi, croyez-moi. Bien, maintenant, voilà ce que nous allons faire.

Elles préparèrent une liste des activités qu'elles jugeaient dangereuses et qui seraient interdites au petit garçon, et Liz appela le médiateur désigné par la cour. Malheureusement, ce dernier était débordé et ne put leur proposer un rendez-vous que le 11 janvier. C'était plus de trois semaines plus tard, et pour que la situation ne stagne pas dans l'intervalle, Liz accepta d'écrire une lettre d'avertissement au mari de sa cliente.

— Ça ne servira à rien, soupira cette dernière. Si vous ne le secouez pas sérieusement, il ne comprendra pas.

— Mais si nous le secouons sérieusement, comme vous le dites, il risque de se venger sur votre fils ou vous, et ce n'est pas ce que vous voulez, insista une nouvelle fois Liz.

Vaincue, son interlocutrice acquiesça, et quand Liz rentra chez elle, ce soir-là, elle était satisfaite : elle avait le sentiment d'avoir fait son devoir sans mettre personne en danger. De plus, elle fut heureuse de constater, en arrivant à la maison, que les enfants paraissaient de meilleure humeur.

Ils étaient en vacances à partir de ce jour-là, et Carole avait promis aux quatre plus jeunes de les emmener faire du patin à glace. Peter, lui, avait rendez-vous avec sa petite amie pour dîner et aller au cinéma. Liz s'apprêtait donc à passer une soirée tranquille seule à la maison lorsque le téléphone sonna à vingt et une heures trente.

Il lui fallut un moment pour reconnaître la voix de sa correspondante, tant celle-ci était hystérique. Enfin, elle comprit que c'était Helene, à qui elle avait donné son numéro personnel pour la rassurer. La malheureuse semblait presque incohérente.

— Helene, calmez-vous et essayez de m'expliquer ce qui s'est passé.

Il lui fallut près de cinq minutes pour comprendre clairement la situation. L'ex-mari d'Helene, Scott, avait emmené leur fils Justin faire un rodéo à moto sur les collines de San Francisco. Elle ne savait pas exactement s'il était soûl ou non au moment des faits, mais c'était une possibilité, et l'enfant ne portait pas de casque quand ils avaient été heurtés par un camion. Justin avait les deux jambes cassées et une blessure à la tête, bien que par miracle il eût atterri dans l'herbe d'un jardin voisin. Il était aux soins intensifs du service de pédiatrie de l'hôpital pour enfants de San Francisco. Quant à son père, il était toujours dans le coma, dans un état critique. Helene avait été prévenue par la police.

Au moins, songea Liz, elle ne pouvait être tenue pour responsable de ce qui venait de se passer : quand bien même elle aurait accepté de traîner Scott devant le tribunal, elle n'aurait pu le faire à temps pour éviter la catastrophe. Cependant, ce n'était pas l'important. Le petit garçon d'Helene était gravement blessé.

— Où êtes-vous ? demanda Liz en tendant la main vers son sac posé au pied de son lit.

— Aux soins intensifs.

— Y a-t-il quelqu'un avec vous ?

— Non, je suis toute seule, sanglota Helene.

Elle était originaire de New York, où se trouvait encore toute sa famille, et avait d'ailleurs l'intention de retourner s'y installer dès que son ex-mari l'autoriserait à emmener leur fils.

— Je serai là dans vingt minutes, déclara Liz.

Elle raccrocha sans attendre de réponse, attrapa son manteau et sortit sans tarder, heureuse de ne pas avoir décidé d'aller faire du patin avec ses enfants.

Dix-huit minutes plus tard exactement, elle garait sa voiture devant l'hôpital. Quand elle atteignit l'unité de soins intensifs, elle trouva Helene en larmes dans les bras d'une infirmière : on venait d'emmener Justin pour lui mettre des broches dans les deux jambes. Cependant, l'infirmière affirmait qu'il était conscient et que sa blessure à la tête n'était qu'un léger traumatisme crânien. L'enfant avait eu beaucoup de chance.

Se retrouver ainsi à l'hôpital ramenait mille souvenirs à l'esprit de Liz, et elle ne put s'empêcher de songer à Bill. Elle se demanda comment il allait, ce qu'il faisait. Elle savait qu'il ne servait à rien de penser à lui ; plus de trois semaines s'étaient écoulées depuis leur rupture, et il n'appellerait plus désormais. Il avait pris sa décision et s'y tenait. Liz et sa famille lui faisaient trop peur.

Justin sortit du bloc opératoire juste après minuit. Il était encore sous l'effet de l'anesthésie et ses jambes étaient bandées jusqu'aux hanches, le faisant ressembler à une poupée de chiffon géante ; mais le chirurgien affirma qu'il se remettrait complètement de son accident, et qu'une fois les broches enlevées, dans six mois ou un an, il serait comme neuf.

Helene pleurait toujours, mais elle était plus calme qu'à l'arrivée de Liz. Elles avaient discuté pendant des heures de ce qu'elles allaient faire. Helene avait fini par convaincre Liz : elles iraient au tribunal et feraient en sorte de restreindre au maximum les droits de Scott sur Justin, après quoi elle partirait à New York. Elle y avait, outre sa famille, un ancien petit ami qui avait récemment repris contact avec elle et parlait même de mariage. Liz trouvait cela encourageant et souhaitait la voir aussi loin que possible de son ex-mari.

— Et après ça, annonça-t-elle avec un sourire las comme Helene la raccompagnait à l'ascenseur et la remerciait d'être venue la soutenir une bonne partie de la nuit, après ça, je prends ma retraite.

Elle ne souhaitait rien d'autre. Cela faisait des mois qu'elle envisageait ce départ, qu'elle ne supportait plus le droit familial, et ce drame avait achevé de la convaincre. Elle y avait encore réfléchi sur le chemin de l'hôpital, et elle était sûre d'elle à présent.

— Qu'allez-vous faire à la place ?

— Du jardinage et du crochet, plaisanta-t-elle. Non, en fait, je vais me consacrer à quelque chose qui me tient vraiment à cœur : je vais devenir avocate pour enfants. Je travaillerai de chez moi et fermerai le cabinet que j'avais monté avec mon mari. Je l'ai maintenu ouvert toute seule pendant un an, mais je me rends compte à présent que je ne veux plus continuer.

Sa décision prise, elle se sentait enfin sereine, et c'est le cœur presque léger qu'elle prit congé d'Helene, après que celle-ci l'eut remerciée une nouvelle fois.

— Je vous appellerai quand j'aurai la date de convocation au tribunal, conclut-elle au moment où les portes de l'ascenseur se refermaient.

Elle savait qu'elle avait fait le bon choix et se demanda soudain si Bill avait éprouvé ce même sentiment de soulagement intense lorsqu'il l'avait appelée pour mettre un terme à leur relation. Peut-être. Peut-être avait-elle représenté un lourd fardeau pour lui, tout comme le cabinet représentait un lourd fardeau pour elle depuis la mort de Jack. Dans ce cas, elle devait respecter le choix de Bill.

Elle arriva devant sa maison de la rue de l'Espoir peu après une heure du matin. Tout le monde était au lit, à l'exception de Peter, qui venait juste de rentrer. Il fut surpris de voir sa mère debout : elle ne sortait plus, sinon pour se rendre au tribunal ou au cabinet. Elle n'avait jamais quitté la maison le soir depuis sa rupture avec Bill.

— Où étais-tu ? s'enquit-il.

— A l'hôpital, avec une cliente. C'est une longue histoire.

Ils bavardèrent quelques instants, puis elle monta se coucher, épuisée mais heureuse de la décision qu'elle avait prise. Elle savait, sans l'ombre d'un doute, que c'était la bonne.

Le lendemain matin, quand elle arriva au bureau, elle s'empressa d'appeler le tribunal pour demander une audience. Aussitôt la date fixée, elle téléphona à Helene à l'hôpital. Justin allait bien, annonça la jeune femme, et il sortirait dans quelques jours. Mais quand Liz lui donna la date de leur audience, elle répondit calmement que celle-ci ne serait pas nécessaire.

— Vous ne vous sentez pas coupable de porter plainte contre lui, n'est-ce pas, Helene ? Aucun juge ne se montrera clément vis-à-vis d'un homme capable d'emmener un enfant de six ans faire de la moto sans casque. Vous disposez d'armes infaillibles contre lui, désormais, autant les utiliser.

— Inutile.

— Pourquoi donc ? s'étonna Liz, qui réfléchissait déjà à tout ce qu'elle allait dire à l'audience, qui était prévue entre Noël et le jour de l'an.

— Scott a succombé la nuit dernière à une hémorragie cérébrale, expliqua Hélène d'une voix triste.

Bien qu'irresponsable, Scott avait été son mari et le père de son fils, et sa mort ne pouvait la laisser indifférente.

Liz demeura silencieuse un moment, sous le choc.

— Oh... Je suis désolée, dit-elle enfin.

— Moi aussi. Je l'ai haï de toutes mes forces, ces deux dernières années, mais c'était tout de même le père de Justin. Je ne l'ai pas encore dit au petit.

Liz se mordit la lèvre. L'enfant allait avoir le cœur brisé.

— Je suis vraiment désolée. Dites-moi si je peux faire quoi que ce soit pour vous aider.

— Je suppose que vous avez connu une situation semblable, avec vos enfants.

— Oui. Et je sais que ce sera dur pendant longtemps. Nous ne nous sommes pas encore complètement remis de la mort de Jack.

— Dès que Justin sera en état de voyager, je l'emmènerai à New York, chez mes parents.

— Cela me semble une bonne idée.

Elles raccrochèrent peu après, mais Liz était encore pensive lorsque Jane pénétra dans son bureau.

— Que s'est-il passé ? demanda la secrétaire, qui avait entendu Liz dire à Helene qu'elle était désolée et qui savait qu'elle avait passé une partie de la nuit à l'hôpital avec sa cliente.

Liz la mit au courant.

— C'est incroyable ce que les gens sont capables de faire à leurs enfants, observa Jane d'un ton désapprobateur.

— Ce qui m'amène à une autre mauvaise nouvelle, annonça Liz.

Depuis son arrivée au bureau, elle souhaitait faire part à Jane de la décision qu'elle avait prise la veille mais n'avait pas encore trouvé le courage de lui parler. Elle se sentait coupable et savait que sa secrétaire lui manquerait.

— Ecoutez, je ne vais pas y aller par quatre chemins, dit-elle avec cette franchise que Jane appréciait tant chez elle. J'ai l'intention de fermer le cabinet.

— Vous prenez votre retraite ?

Jane était sous le choc. Elle savait pourtant qu'elle aurait dû s'y attendre : la charge de travail de Liz était telle, depuis la mort de son mari, qu'il était inévitable que, tôt ou tard, elle décide de jeter l'éponge.

— Je vais travailler à temps partiel, de chez moi. Je veux me consacrer au droit des enfants. C'est la seule chose qui m'intéresse vraiment dans ce que je fais, je déteste tous les conflits domestiques et les procédures tordues. Ça n'a jamais été mon truc, même si Jack, lui, était doué pour ça. Moi, ce sont les enfants qui m'importent.

Jane lui sourit et contourna son bureau pour la serrer dans ses bras.

— Vous avez pris la bonne décision, Liz. Cet endroit aurait fini par vous tuer. Vous serez une merveilleuse avocate pour enfants.

— Je l'espère, dit Liz sans dissimuler son inquiétude. Mais vous, qu'allez-vous faire ? Ça m'a angoissée toute la matinée.

— Il est temps pour moi d'aller de l'avant aussi. Cela peut sembler fou à mon âge (elle avait quarante-trois ans), mais j'ai envie de commencer des études de droit.

Le visage de Liz s'éclaira. Tout s'arrangeait au mieux.

— Un conseil : ne vous spécialisez pas en droit familial, vous détesteriez ça.

— En fait, c'est le pénal qui m'intéresse, avoua Jane. J'aimerais travailler pour le bureau du procureur.

— Excellente idée.

Liz estimait qu'il lui faudrait trois mois pour clore tous ses dossiers en cours. Elle prendrait alors quelques mois de congé et en profiterait pour expliquer à tout le monde son projet. Elle méritait de se reposer un peu et souhaitait passer du temps avec ses enfants. Ils s'étaient montrés patients, au cours de l'année écoulée, pendant qu'elle jonglait avec tous les aspects de leur vie et travaillait comme une forcenée. Elle leur devait de se consacrer un peu à eux, désormais.

— Si je présente mon dossier à l'université avant la fin de l'année, je pourrai commencer à étudier en juin, ou en septembre au plus tard, dit Jane, satisfaite. Ainsi, j'aurai, moi aussi, un ou deux mois de congé. Cela nous fera du bien à toutes les deux.

Elles avaient eu l'impression de prendre dix ans au cours de cette année.

Liz et Jane bavardaient encore lorsque Carole appela. Ce fut Jane qui décrocha, et elle crut déceler une note d'angoisse dans la voix de la gouvernante, mais elle tendit le téléphone à Liz sans commentaire.

— Hello, dit gaiement la jeune femme en prenant le combiné. Quoi de neuf ?

Elle était si heureuse de sa décision qu'elle avait l'impression qu'on lui avait ôté un poids énorme des épaules.

— Jamie.

La façon dont Carole avait prononcé le nom du petit garçon fit frémir Liz. Aussitôt, d'horribles souvenirs de l'été précédent lui revinrent en mémoire.

— Que s'est-il passé ? demanda-t-elle, la gorge nouée.

— Il essayait d'accrocher dans le sapin un ange en papier mâché que nous avions fabriqué. Il a sorti tout seul l'escabeau pendant que je m'occupais de Meg, et il est tombé. Je crois qu'il a le bras cassé.

— Je vous retrouve à l'hôpital dès que possible.

Au moins, songea-t-elle, ce n'était pas aussi grave que ce qui était arrivé à Peter, ou au petit Justin la veille. Mais Jamie ne s'était encore jamais rien cassé, et Liz devinait qu'il devait être paniqué. Elle attrapa son sac et son manteau et courut vers la porte.

— Bras cassé, répondit-elle simplement quand Jane lui demanda ce qui s'était passé.

Déjà, elle dévalait l'escalier, envahie par une grande lassitude. Elle ne semblait jamais avoir une minute à elle pour se détendre et profiter de la vie. Mais profiter de quoi, de toute façon ? Jack n'était plus là, et Bill non plus. Joyeux Noël…

12

Liz entra aux urgences en courant et se précipita vers Jamie. Il était évident que ce dernier souffrait beaucoup : il criait chaque fois qu'une infirmière essayait de le toucher, et en voyant l'angle que formait son bras, Liz sentit son estomac se nouer.

Quand elle arriva, les médecins essayaient de raisonner l'enfant, mais ils étaient déjà arrivés à la conclusion qu'ils allaient devoir l'endormir et l'opérer pour remettre son bras en place. Un chirurgien orthopédiste avait été appelé. Carole était très agitée et se sentait visiblement coupable.

— Je suis tellement désolée, Liz... Je ne l'ai quitté des yeux que cinq minutes...

— Ce n'est pas votre faute, cela aurait pu se produire même si j'avais été à la maison.

Jamie, comme tous les enfants, commettait parfois des imprudences, d'autant qu'en raison de son handicap, il était un peu moins raisonnable et posé que la plupart des garçons de son âge.

Liz essaya de le calmer, mais sans effet : il criait si fort qu'il ne l'entendait même pas. Sa douleur était telle qu'il s'était recroquevillé sur lui-même et refusait que quiconque l'approche, même sa mère. Liz en était malade, et elle essayait à nouveau de lui parler pour l'apaiser lorsqu'une voix familière résonna dans son dos.

— Qu'est-ce qui se passe, ici ?

Liz se retourna instinctivement et son regard rencontra celui de Bill Webster. Il était passé chercher aux urgences un patient qui devait être hospitalisé dans son service, quand il avait entendu les hurlements de Jamie. Il avait aussitôt reconnu les cheveux roux de Liz et n'avait pu s'empêcher de s'approcher.

— Que s'est-il passé ? demanda-t-il à nouveau, sans même la saluer.

— Il est tombé d'une échelle et s'est cassé le bras, répondit-elle simplement.

Bill s'avança pour se placer dans le champ de vision de l'enfant. Ce dernier le vit, et l'espace d'un instant, ses cris se calmèrent un peu. Ils se muèrent en sanglots véhéments.

— Que t'est-il arrivé, champion ? Tu as repris l'entraînement pour les Jeux Olympiques ? Tu sais pourtant qu'il est bien trop tôt !

Avec douceur, il tendit la main vers le bras de Jamie. Le garçonnet eut un mouvement de recul, mais se laissa toucher sans crier ni se débattre.

— Je... je suis tom-tombé d'une é... d'une échelle, bégaya-t-il entre deux sanglots.

— Tu installais quelque chose sur le sapin de Noël ?

Jamie hocha piteusement la tête.

— Tu sais ce que nous allons faire ? Nous allons fabriquer un beau plâtre pour ton bras, mais avant ça tu vas devoir me faire une promesse solennelle. Tu es d'accord ?

— Qu-quelle pro-promesse ?

Jamie tremblait de la tête aux pieds tant il avait pleuré, mais parler avec Bill lui avait fait en partie oublier sa douleur, et il laissait le médecin palper son bras sans même s'en rendre compte.

— Je veux être le premier à signer ton plâtre. C'est d'accord ? Pas le deuxième ou le troisième, je veux être le *premier*. D'accord ?

— D'accord, acquiesça Jamie au moment où le chirurgien arrivait.

Les deux médecins discutèrent quelques instants à voix basse. Lorsqu'ils eurent terminé, Bill jeta un coup d'œil à Liz. Elle lui parut très amaigrie, et paniquée par l'accident de son fils.

— Tu sais ce que nous allons faire ? demanda Bill à Jamie comme s'il lui réservait une surprise extraordinaire. Nous allons monter te mettre ton plâtre tout de suite. Et pour être bien sûr d'être le premier à le signer, je vais t'accompagner dans la salle d'opération. Qu'est-ce que tu en dis ? Tu vas dormir quelques minutes, et quand tu te réveilleras, hop, magique, ton plâtre sera en place et je pourrai le signer.

— Est-ce que je pourrai faire monter et descendre le lit ? demanda le garçonnet, qui se souvenait du séjour à l'hôpital de son frère.

— Nous t'en trouverons un qui bouge dans tous les sens, mais d'abord, il faut te poser ce plâtre.

Bill jeta un coup d'œil à Liz pour la rassurer, et elle hocha la tête. Elle avait compris qu'il avait demandé à rester auprès de Jamie pendant l'opération, et ce geste la touchait. Elle voulait le remercier, mais déjà il poussait le lit de Jamie en direction de l'ascenseur, le chirurgien sur ses talons.

Liz se laissa tomber dans un fauteuil, inquiète pour Jamie et incapable de chasser Bill de ses pensées. Le voir lui avait fait un choc, même s'ils n'avaient pas eu le temps de se parler — c'était d'ailleurs probablement préférable. Ils n'avaient plus rien à se dire, de toute façon.

Le médecin et l'enfant ne revinrent qu'une heure plus tard. Jamie était encore endormi, mais Bill ne l'avait pas quitté. Le chirurgien était déjà en train d'opérer un autre patient, et ce fut Bill qui annonça à Liz, d'un ton très professionnel, que tout s'était bien passé. La fracture était simple, il n'y aurait aucune complication et ils pourraient retirer le plâtre dans six semaines.

— Il devrait se réveiller dans quelques minutes. Il n'y a eu aucun problème, là-haut : on l'a endormi si vite qu'il ne s'est rendu compte de rien.

Liz n'avait pas oublié le ton presque agressif du médecin lorsqu'elle l'avait rencontré pour la première fois. Difficile de croire que c'était le même homme qui, aujourd'hui, avait si bien pris soin de Jamie... Décidément, il avait de multiples facettes. Plus que jamais, elle avait honte que Megan l'eût traité de « brute » — c'était tout simplement inexcusable.

— Tu veux une tasse de café, en attendant qu'il se réveille ? Ça peut prendre jusqu'à vingt minutes.

— Tu as le temps ?

Elle ne voulait pas s'imposer : elle savait combien il était occupé, et il avait déjà passé près de deux heures avec Jamie.

— Oui, pas de problème, répondit-il en l'entraînant vers la salle de repos des urgences.

Celle-ci était déserte pour l'instant. Bill tendit à Liz une tasse de café fumante.

— Tout va bien, Liz, ne t'inquiète pas pour Jamie.

— Merci de t'être montré aussi gentil envers lui. Ça me touche beaucoup. Quand je suis arrivée, il était terrorisé.

Bill sourit et hocha la tête, tout en se servant à son tour une tasse de café.

— Il criait à faire écrouler l'hôpital ! C'est pour ça que je me suis approché, je me demandais ce qui se passait. Une chose est sûre, maître Jamie n'a pas de problèmes de poumons !

Elle sourit, et leurs regards se croisèrent. Cependant, ils s'empressèrent tous deux de baisser la tête, visiblement gênés.

Bill aussi semblait avoir perdu du poids, et il était pâle et fatigué. La période de Noël était toujours très chargée : aux accidents habituels s'ajoutaient tous ceux provoqués par l'ivresse au volant et les dépressions liées aux fêtes.

— Tu as l'air en forme, affirma-t-il.

Liz se contenta de hocher la tête. Il était trop tard pour lui dire qu'elle l'aimait, qu'il lui manquait jour et nuit, que son absence était pour elle une torture.

— Tu dois être très occupé en ce moment, dit-elle sur le ton de la conversation.

Elle ne voulait pas lui parler d'eux. A quoi bon discuter de quelque chose dont il ne voulait pas ? S'il avait changé d'avis, il l'aurait appelée. Son silence en disait plus long que des mots.

— Oui, il y a pas mal de travail, acquiesça-t-il. Comment va Peter ? ajouta-t-il, restant lui aussi en terrain neutre.

— Il est comme neuf, répondit-elle en souriant. Et fou amoureux.

— Tant mieux pour lui. Dis-lui bonjour de ma part.

Là-dessus, il jeta un coup d'œil à sa montre et suggéra qu'ils retournent auprès de Jamie.

— Il devrait être réveillé, à présent.

C'était le cas, et il venait précisément de demander à une infirmière où se trouvaient Bill et sa mère. Il sourit en les voyant approcher.

— Tu n'as pas oublié ta promesse, au moins, champion ?

Jamie secoua la tête avec un large sourire, et Bill sortit un marqueur de sa poche. Il écrivit un court poème sur le bras du garçonnet, dessina un petit chien et signa. Jamie était aux anges.

— Vous êtes le premier, Bill, comme promis !

Bill lui sourit et l'embrassa sous le regard ému de Liz. La jeune femme avait le cœur serré, comme chaque fois qu'elle songeait à ce qu'elle avait perdu lorsque Bill était sorti de sa vie, le soir de Thanksgiving.

— Vous ne m'avez jamais emmené faire du cerf-volant, dit Jamie.

Sur le coup, Bill parut un peu déstabilisé.

— Tu as raison, dit-il enfin. J'appellerai ta maman un jour et nous irons sur la plage. Peut-être quand on t'aura enlevé ton plâtre ?

— Super !

Bill le souleva avec douceur de son lit et le mit sur pieds.

— Maintenant, veux-tu être gentil et ne plus grimper sur des échelles ?

Jamie hocha la tête, les yeux remplis d'admiration. Bill était son héros.

— Et ne va pas escalader le sapin non plus !

— Maman ne me laisserait pas faire.

— Je suis heureux de l'entendre. N'oublie pas de dire bonjour pour moi à Peter et à tes sœurs, Jamie. On se verra bientôt, toi et moi. Joyeux Noël.

— Mon papa est mort le jour de Noël, l'informa Jamie.

— Je sais, dit Bill avec respect.

— C'était un très mauvais Noël.

— J'en suis sûr. J'espère que celui-ci sera meilleur.

— J'ai demandé au père Noël un cerf-volant comme le vôtre, mais maman pense qu'il ne me l'apportera pas, et que nous devrons en acheter un.

— Ou en fabriquer un, corrigea Bill. Et qu'as-tu demandé d'autre ?

— Un chien, mais maman dit que je ne l'aurai pas non plus, parce que Carole est allergique. Elle fait de l'asthme. J'ai aussi demandé des jeux, et un pistolet à eau.

— Je suis sûr que tu les auras.

Jamie hocha la tête et remercia Bill pour le plâtre et la dédicace. Puis Bill se tourna vers Liz. Elle les regardait avec une telle nostalgie, une telle souffrance qu'il en eut le cœur serré.

— J'espère que Noël se passera bien pour vous tous. Je sais que ce ne sera pas facile, cette année.

— Ça ne peut pas être pire que l'année dernière, répondit Liz avec un sourire triste.

Une mèche de cheveux échappée de sa barrette lui tombait sur le front, et Bill fut tenté de la repousser doucement derrière son oreille. Il se retint.

— Merci d'avoir été si gentil avec Jamie. J'apprécie vraiment.

— Ça fait partie de mon travail, même si je suis une brute, ironisa-t-il.

Voyant la mine embarrassée de Liz, il la rassura.

— J'ai fini par m'en remettre, affirma-t-il, même si je dois reconnaître que ça m'a titillé un moment. Les filles sont plus douées que les garçons pour les coups bas, conclut-il en les raccompagnant à la porte des urgences.

— Pas toutes les filles, observa Liz avec douceur. Ménage-toi, Bill. Joyeux Noël.

Ils lui firent un petit signe de la main, et Bill les regarda monter dans la voiture de Liz. Puis, les mains dans les poches et la tête basse, il retourna à l'intérieur.

13

A son retour à la maison, Jamie s'empressa d'annoncer à tout le monde qu'il avait vu Bill. Il dit également à Peter que le médecin le saluait, après quoi il exhiba fièrement son plâtre et la dédicace de Bill. Là-dessus, il fit signer toute la famille, Liz et Carole comprises.

Liz avait l'impression d'avoir été emportée tout l'après-midi dans un tourbillon d'émotions. Voir Bill avait été douloureux, mais agréable aussi, d'une certaine manière. Un véritable supplice de Tantale... Elle avait été tellement tentée de le toucher, de le prendre dans ses bras ! Et pire encore, de lui avouer son amour. Mais elle savait que ç'aurait été de la folie. Il était sorti de sa vie aussi définitivement que Jack, désormais.

Le lendemain, elle alla déposer des fleurs sur la tombe de son mari, et elle passa un long moment au cimetière, songeant aux années passées avec Jack, à leurs bons moments. Tout cela semblait gâché maintenant, perdu. C'était si injuste ! Jack ne verrait jamais grandir ses enfants ni ses petits-enfants, il ne vieillirait pas au côté de son épouse...

Le pire cependant fut le jour de Noël lui-même. Elle s'était attendue à ce que ce soit dur, mais pas à ce point ; elle avait l'impression d'avoir reçu un boulet en pleine poitrine. Des milliers de souvenirs l'assaillaient, et la nostalgie qu'elle éprouvait à la pensée des Noëls d'autrefois, quand les enfants étaient petits, était insoutenable. A cela se mêlaient les images de l'année précédente, Jack en sang sur le sol de son bureau, mourant dans l'ambulance, enterré… Elle passa la journée dans le brouillard, en larmes. Les enfants n'allaient guère mieux. C'était, pour eux tous, l'un des pires moments depuis la mort de leur père.

Lorsqu'elle appela sa fille, Helen s'inquiéta de la trouver si déprimée. Elle réagit encore plus mal quand Liz lui annonça sa décision de fermer le cabinet.

— Je savais que tu y serais contrainte tôt ou tard. Tu as perdu tous tes clients ?

Décidément, elle n'avait pas changé.

— Non, maman, j'en ai trop au contraire. Je n'arrive plus à tout faire, et en plus j'en ai assez du droit familial. Je veux m'occuper d'enfants.

— Et qui va payer ?

Liz sourit de cette question, si prévisible.

— Le tribunal, ou les parents, ou les agences qui m'embaucheront. Ne t'inquiète pas, je sais ce que je fais.

Là-dessus, Helen souhaita à tour de rôle un joyeux Noël à tous les enfants, et quand Liz reprit le combiné, elle lui dit qu'ils avaient l'air éteints. La jeune femme lui fit observer que c'était plutôt normal, et elle prit congé.

Son amie Victoria l'appela ensuite d'Aspen. Elle surprit Liz en lui annonçant qu'elle avait décidé de se remettre à travailler à temps partiel. Malgré cela, elle espérait qu'elles se verraient davantage à l'avenir. Elle était désolée de ne pas être là pour soutenir Liz et les enfants en un jour pareil.

Toute la journée, ensuite, le téléphone demeura muet, et en début de soirée Liz décida d'emmener tout le monde au cinéma. Les enfants étaient aussi tristes qu'elle et avaient bien besoin de se distraire. Ils optèrent pour une comédie, qui fit rire les plus jeunes, même si elle ne parvint pas à dérider Liz. La jeune femme avait l'impression que la vie n'était que deuil et souffrance, une longue suite d'épreuves sans fin.

De retour à la maison, elle se fit couler un bain très chaud et laissa son esprit vagabonder. Elle repensa à l'année écoulée et à tout ce qui s'était passé, et elle ne put s'empêcher de se demander où était Bill. Sans doute travaillait-il : il lui avait répété maintes fois combien il détestait les jours fériés. Ceux-ci, selon lui, étaient réservés aux familles et lui-même avait choisi de ne pas en avoir. Après le fiasco de Thanksgiving, elle ne pouvait l'en blâmer, même si elle estimait qu'il aurait au moins pu lui donner une seconde chance. Mais il n'avait pas été assez courageux, et maintenant Liz devait regarder la vérité en face : il ne voulait pas de ce qu'elle avait à lui offrir, point final. Il était très satisfait de sa vie actuelle ; et de fait, Liz n'avait qu'à se remémorer sa gentillesse vis-à-vis de Jamie pour savoir que c'était vraiment un médecin exceptionnel.

Ce soir-là, elle alla se coucher juste après minuit. Depuis son accident, Jamie dormait dans sa propre chambre car le premier soir, pendant son sommeil, il avait violemment heurté sa mère avec son plâtre. Ils avaient dès lors décidé qu'il dormirait seul jusqu'à ce qu'on lui ôte celui-ci.

Elle venait de s'allonger lorsque Peter passa la tête dans l'encadrement de la porte.

— Ça va, m'man ? s'enquit-il.

Elle affirma que oui et le remercia de sa sollicitude. Toute la journée, ils étaient restés proches l'un de l'autre, comme deux survivants d'un naufrage, accrochés à un radeau de fortune. C'était un Noël dont ils se souviendraient longtemps, presque aussi douloureux, à sa manière, que le précédent. Liz n'avait qu'une envie : s'endormir et se réveiller après les fêtes, mais hélas, comme trop souvent, le sommeil la fuyait et elle demeura de longues heures dans son lit, immobile, à songer à Jack, à Bill et à ses enfants. Ce n'est qu'un peu après quatre heures du matin qu'elle s'assoupit enfin.

Quand le téléphone sonna, elle crut d'abord être en train de rêver. Il lui fallut tâtonner un moment pour trouver le combiné.

— Allô ? dit-elle d'une voix endormie.

Son correspondant hésita un long moment. Elle s'apprêtait à raccrocher lorsqu'il parla enfin, et dans un premier temps elle ne reconnut pas sa voix. Enfin, elle comprit que c'était Bill et fronça les sourcils. Pourquoi donc l'appelait-il ? Il faisait encore nuit dehors... Elle jeta un coup d'œil à son réveil : six heures trente. Sans doute travaillait-il encore.

— Coucou ! lança-t-il d'un air guilleret.

Après la dure journée de la veille, Liz se sentait épuisée et elle avait mal partout. La voix joviale de son ancien amant lui paraissait tout à fait incongrue.

— Je me suis dit que j'allais t'appeler pour te souhaiter un joyeux Noël, poursuivit Bill.

— Joyeux Noël. Ce n'était pas hier ?

A moins qu'elle n'eût pénétré dans la quatrième dimension. Un univers parallèle constitué d'une succession sans fin de Noëls. Son pire cauchemar.

— Si. J'ai dû le rater, j'ai été assez pris. Comment va Jamie ?

— Bien, je crois. Il doit dormir.

Elle s'étira et fit un effort pour se réveiller. Pourquoi l'avait-il appelée ? Il lui semblait de surcroît bien bavard, pour une heure aussi matinale.

— Tu as été très gentil avec lui quand il s'est cassé le bras. Merci.

— C'est un petit garçon adorable, je l'aime beaucoup.

Il y eut ensuite un long silence, et Liz se sentit de nouveau emportée par le sommeil. Elle se réveilla en sursaut quand Bill demanda :

— Comment s'est passé votre Noël ?

Il avait pensé à elle toute la journée, inquiet pour elle et pour ses enfants, et c'est pour cela qu'il s'était enfin résolu à appeler. Pour cela, et pour un certain nombre d'autres raisons, dont certaines étaient plus claires que d'autres.

— Encore plus mal que prévu, avoua-t-elle avec franchise. Comme une opération à cœur ouvert sans anesthésie, pour te donner une idée.

— Je suis désolé, Liz. Au moins, c'est passé, maintenant.

— Jusqu'à l'année prochaine, répondit-elle d'une voix sombre.

— Peut-être que ce sera moins affreux.

— Je n'ai pas hâte de le savoir. Je crois qu'il va bien me falloir un an pour me remettre de ce Noël-ci. Et toi ? Qu'est-ce que tu as fait ?

— J'ai travaillé.

— Je m'en doutais. Tu as dû être très occupé.

— Oui. Mais j'ai beaucoup pensé à toi.

Elle demeura quelques instants silencieuse.

— Moi aussi, dit-elle enfin. Je suis vraiment désolée que notre histoire se soit terminée comme ça. Je ne sais pas, je suppose que je n'étais pas prête, et que les enfants se sont vraiment montrés odieux envers toi.

— Et moi, j'ai paniqué, admit-il. Je n'ai pas géré la crise avec beaucoup de maturité.

— Je ne suis pas sûre que je me serais mieux débrouillée, à ta place, dit-elle.

Mais elle, elle serait revenue et aurait essayé d'arranger les choses, songea-t-elle sans pour autant le lui dire.

— Tu m'as manqué, dit-il d'une voix mélancolique.

La voir à l'hôpital après l'accident de Jamie lui avait fait un choc, et depuis il n'avait cessé de penser à elle.

— Toi aussi, répondit-elle avec douceur. Le mois a été long.

— Trop long. Nous devrions déjeuner tous les deux ensemble, un de ces jours.

— Avec plaisir.

Elle se demanda s'il mettrait vraiment ce projet à exécution. Peut-être était-il seulement fatigué et seul, ou avait-il perdu un patient, ou l'atmosphère de Noël l'avait-elle influencé. Elle n'avait pas l'impression qu'il souhaitait réellement revenir vers elle, mais plutôt l'effleurer avant de retourner à la vie solitaire qu'il affectionnait.

— Que dirais-tu d'aujourd'hui ?

Cette proposition la prit de court.

— Aujourd'hui ? D'accord, pas de...

Elle s'interrompit soudain, se souvenant qu'elle avait promis aux enfants de les emmener à la patinoire. Elle le lui expliqua.

— Nous pourrions prendre un café ensuite ? suggéra-t-elle.

— J'avais vraiment envie d'un déjeuner, dit-il d'un air déçu.

— Et demain ?

— Je travaille. Et maintenant ?

— Maintenant ? Tu veux dire, tout de suite ?

— Oui. J'ai un sandwich dans la voiture, nous pourrions le partager ?

— Où es-tu ?

Elle commençait à se demander s'il n'était pas soûl. Il lui semblait un peu fou.

— En fait, répondit-il d'une voix détachée, je suis garé devant ta porte.

A ces mots, elle bondit hors de son lit, le téléphone à la main, et s'approcha de la fenêtre. Ecartant le rideau, elle vit bel et bien la vieille Mercedes arrêtée devant la maison, tous feux éteints.

— Mais qu'est-ce que tu fabriques ici ?

Il l'avait repérée et lui fit un signe de la main. Elle ne put retenir un petit rire.

— C'est de la folie furieuse !

— Je me suis dit que j'allais passer et voir si tu avais envie de manger un morceau avec moi. Je ne savais pas si tu étais occupée ou si... Enfin, dans la mesure où je me suis comporté comme un pauvre type depuis un mois, je me disais qu'il me faudrait peut-être un certain temps pour te convaincre. Liz, ajouta-t-il d'une voix émue, je t'aime.

Elle le vit articuler les mots sans la quitter du regard, son téléphone portable à la main.

— Je t'aime aussi, répondit-elle doucement. Pourquoi n'entres-tu pas ?

— J'apporte le sandwich.

— Pas la peine de sonner, je descends t'ouvrir.

Elle raccrocha et dévala les marches quatre à quatre pour l'accueillir. Elle le vit sortir de sa voiture et en extirper un paquet encombrant posé sur la banquette arrière. Cela lui prit une bonne minute, puis il s'approcha d'elle et elle vit de quoi il s'agissait : c'était son cerf-volant. Il pénétra avec à l'intérieur.

— Qu'est-ce que tu fabriques avec ça ?

Tout cela paraissait absurde — le coup de téléphone, l'invitation à déjeuner, la visite, le cerf-volant...

— C'est pour Jamie, dit-il simplement en posant son fardeau dans l'entrée.

Puis il la regarda, et elle lut dans ses yeux tout ce qu'il éprouvait pour elle, avant même qu'il ne parle.

— Je t'aime, Liz. Et Megan avait raison, je me suis comporté en imbécile et en brute. J'aurais dû revenir dès le lendemain, mais j'avais trop peur.

— Moi aussi, j'avais peur, mais je crois que j'ai réalisé plus vite que toi ce que j'étais en train de perdre... J'ai vraiment passé un mois horrible.

— Il m'a fallu longtemps pour comprendre, mais à présent me voici. Si tu veux de moi.

— Je veux de toi, chuchota-t-elle.

Cependant, une expression inquiète se peignit sur ses traits.

— Et les enfants ? Tu crois que tu arriveras à les supporter ?

— Certains plus facilement que d'autres, répondit-il avec franchise. Mais je finirai par m'habituer, et si Megan me mène la vie dure, je la bâillonnerai... Ça devrait suffire.

Liz éclata de rire, et il l'attira à lui pour l'embrasser. Tous deux sursautèrent violemment en entendant une voix derrière eux.

— Qu'est-ce que c'est que *ça* ?

Jamie venait de descendre à son tour et il désignait du doigt le cerf-volant de Bill.

— Ton cerf-volant. Je me suis dit qu'il te serait plus utile qu'à moi. Je t'apprendrai à le faire voler.

— Waouh !

Le garçonnet se précipita dans les bras de Bill et faillit renverser sa mère au passage.

— C'est vrai ? Il est pour moi ?

— Rien que pour toi.

Tout à coup, Jamie regarda Bill, les sourcils froncés.

— Qu'est-ce que vous faites ici ? Je croyais que vous en vouliez toujours à maman et à Megan.

— C'était vrai, mais maintenant ça va mieux.

— Est-ce que vous me faisiez la tête à moi aussi ? voulut savoir le petit garçon.

— Jamais. Et maintenant, de toute façon, je ne fais plus la tête à personne.

— Bien. Est-ce qu'on peut prendre le petit déjeuner, maintenant ? demanda Jamie en se tournant vers sa mère.

— Dans une minute, mon chéri.

On entendit soudain des voix à l'étage, et Megan cria :

— Qui est là ?

— Moi, répondit Liz. Ainsi que Bill et Jamie.

— Bill le médecin ?

Megan semblait surprise, et derrière elle Liz reconnut les voix de Peter, Rachel et Annie. Bill et elle avaient réveillé toute la maisonnée.

— Bill, l'imbécile et la brute, corrigea l'intéressé.

Megan descendit l'escalier avec un sourire penaud.

— Je suis désolée, dit-elle en le regardant droit dans les yeux.

— Moi aussi.

Il lui sourit.

— Alors, on mange ? réclama de nouveau Jamie.

— Je vais faire des gaufres, annonça Liz.

Bill et elle échangèrent un sourire, et il l'embrassa de nouveau.

— Tu as une maison très animée, observa-t-il en la suivant dans la cuisine.

— Pas toujours. Tu devrais passer déjeuner un de ces quatre.

— En fait, j'envisageais de rester, lui avoua-t-il à l'oreille.

Elle se tourna vers lui.

— Cette idée me plaît assez, dit-elle lentement.

— A moi aussi, affirma-t-il en soulevant Jamie et en le posant sur ses épaules. En fait, elle me plaît énormément.

Et là-dessus, il se tourna vers la porte de la cuisine et vit Megan qui lui souriait.